Alice's Adventure in Puzzle-Land

数学で
ピザを切り分ける！

パズルの国のアリス 4

坂井 公 [著]

斉藤重之 [イラスト]

日経サイエンス社

まえがき

　『パズルの国のアリス』シリーズの4冊目をお届けすることができてとても嬉しい。日経サイエンス誌2009年5月号からスタートした連載は今年で12年目を迎えた。今回は2019年1月号掲載分から2021年7月号掲載分までということだが，初回から数えると146話にもなる。

　浅学菲才でも，うまずたゆまず努力していると，こんなにも長く記事を書き続けることができるのかと他人事のように感心していて，今回の出版はまったく神様からご褒美をいただいたような気分だ。

　もっとも記事を書くこと自体は少しも楽にならない。

　パズルのネタ切れは，いつも心配の種で，筑波大学を定年で退職して授業の準備が少なくなったにもかかわらず，常日頃，ネタ探しにきゅうきゅうとしている感がある。

　幸いにも，連載開始時から種本として大いに参考にさせてもらっていたウィンクラー（Peter Winkler）が新しいパズル本「Mathematical Puzzles」（CRC Press）を出してくれて，それで少し息をついているところだが，今後もネタには目を光らせておかねばならない。

　記事を書いていて一番楽しいのは，その記事につける斉藤重之さんのイラストを編集者の次に早く見られることだ。どんなに無茶で非現実的なストーリーでもサラサラと愉快な絵にして飾ってくれるのを見ると，とんでもない性格のキャラクターにバカげた行動をさせても，「まあ，それもありだったか？」という気になれて一安心だ。

　その斉藤さんに加え，編集部および日経サイエンスの皆さんにお礼を申し

上げて，このまえがきを閉じることにしたい。毎回のように，連載は「可能な限り長く続けていきたい」と書いているが，この方々の協力や励ましなしで続けることはもちろん不可能だ。

　また，何よりも本書を手に取ってくださった方や連載を読んでくださっている読者の皆様に心よりの感謝を捧げたい。すべては読者あってのことなのだから，読んで楽しんでいただくことが著者の最大の喜びである。

2021年12月　　坂井 公

数学で
ピザを切り分ける！

パズルの国のアリス4

目次

第117話 | 賞金は仲良く平等に

　不思議の国と鏡の国の合同演芸会の続きから始めよう。演芸会で出し物を披露した参加者には賞金が出ることになっているが，主催するトランプ王国とチェス王国は近年税収の落ち込みで賞金の工面に四苦八苦。そこで，例のマハラジャ出身と噂されるお大尽に援助を頼んだところ，315枚の銀貨を寄

付をしてくれることになった（『ハートの女王とマハラジャの対決　パズルの国のアリス3』第116話を参照）。

　ただし，お大尽が出した条件は，できるだけ多くの参加者に賞金が行きわたること，入賞の順位の順に銀貨が1枚ずつ減っていくという分配方法で分けることだ。

　演芸会も盛況のうちに終了した。そこで，賞金を演技者の間でどう分配したかの顛末を披露しよう。

　合同演芸会にはグループで参加して芸を披露した者が少なからずいた。例えば，トゥィードルダムとトゥィードルディーの双子は「喧嘩漫才」で2人での参加だし，ヤマネの姪たちは7人，白のポーンたちは8人そろっての登場だ。無限モグラ国から特別出演のモグラたたきサーカスとなると，いったい何人がステージに登場していたのかよくわからないくらいだ。

　お大尽の意向に沿って大勢の演技者が賞金を獲得したのはよかったのだが，グループ演技の場合はそれをさらに分配するので一悶着だ。ダムとディーの双子の場合など，平等だと感じられる分け方がないと賞金が宙に浮いてしまいかねない。演技での役割によって重みが付けられればかえって分けやすいのだが，そうもいかない場合も多い。

　しかし，そこはお大尽，それを聞いて嬉しそうに「ほほう。では平等に分けることができるように，わしがさらに銀貨を追加しようではないか」と言う。「だが，ただ人数で割り切れるように銀貨を出すというのもつまらん。そうするに当たって何か面白い趣向はないかのう？」

　アリスにちょっとしたアイデアがひらめいた。「こういうのはどうかしら？最初にグループ内で賞金を適当に分配して，全員が輪になって並ぶ。このときの分け方は平等でなくてもでたらめでいいの。例えば，誰かが全部独り占めして他の人は0枚というのでも。このときに奇数枚だった人は，お大尽さんから銀貨を1枚もらって偶数枚にし，全員が偶数枚になったら，一斉に手元の銀貨の半分を右隣りの人に渡す。これを繰り返していれば，やがては全員が同じ枚数でしかも偶数枚になるんじゃないかしら？」

「フーム，良さそうな気もするがのう」とお大尽。「しかし，いつまでも奇数枚の人がなくならず，際限なく銀貨を足さねばならんということはないかの？　いくらわしじゃって，出せる銀貨には限りがあるぞよ。それに，さらに銀貨を増やす必要はなくても，そのやり取りがいつまでも続いて終わらんということはないかの？」

　読者への問題は，このお大尽の疑問に答えていただくことである。つまり，アリスの考えた平等化プロセスがお大尽の懐を無制限に当てにすることがないことを証明するか，その反例を作っていただきたい。また，銀貨が無尽蔵に必要という事態が生じない場合でも，グループ内での銀貨のやり取りがいつまでも続いて安定化しない，つまり全員が同じ枚数になることが永遠にない場合があるかどうかを考えていただきたい。

第117話の解答

　簡単な場合を少し試してみよう。例えば，ダムとディーのペアがもらった賞金額が8枚だとしよう。この場合，均等に分けることができるのだが，ちゃっかり者の2人は，アリスの提案を聞いてまず1枚と7枚に分割した。ともに奇数枚なので，お大尽から1枚ずつ補充してもらい，それぞれが半分を相手に渡すと5枚ずつになった。これで平等になったのでもういいだろうと思いきや，5は奇数なので，再びお大尽から1枚ずつ補充されてともに6枚になった。この調子でいつまでもお大尽の懐を当てにされると困ったことになるが，さらにやり取りを続けても2人の枚数はともに偶数の6で変化せず，分配が完了する。

　他の場合も試してみると，2人組の場合，もらった賞金額がいくらであっても，またそれを最初にどのように分配しようと，2回やり取りを行った後は状態が安定するようだ。

　さて，一般に n 人で同じようなやり取りを行う場合はどうだろうか。実は，少し考えれば，最初に賞金がどのように分配されていても，このやり取りで各人のところに集まる額には限界があることがわかる。最初の分配のときの最大枚数に着目しよう。その枚数が奇数の場合には，やり取りを始める前にお大尽から1枚補充されるので，最初の分配時の最大枚数は偶数 $2m$ であるとしてかまわない。以降のやり取りで各人のところに集まる額はこの $2m$ が限界で，やり取りをいくら続けようと誰かに $2m$ 枚を超える銀貨が集まることはありえない。それは1回のやり取りごとの各人の銀貨枚数の変遷を考えれば簡単に了解できよう。

　最大の $2m$ 枚の銀貨を持つ人は m 枚を右隣りの人に渡して左隣りの人から何枚かをもらうけれども，それが m 枚を超えることはないから，やり取り後の枚数は $2m$ 以下である。やり取り前に最大枚数未満の銀貨しか持っていなかった人は，もちろんやり取り後も $2m$ 枚未満だ。それらが奇数の場合，

次のやり取りの前にお大尽から1枚補充されるが，それでも$2m$枚以下であることに変わりはない。

　よって，各人が持っている銀貨の枚数をすべて足し合わせても，それが$2m \times n$を超えることはなく，お大尽が無尽蔵に銀貨を供給するという事態は生じない。

　残る問題は，状態が安定化することがなく，いつまでもやり取りが続くことがあるかだ。実は，そういうことはないのだが，その証明はやや技巧的だ。いつまでもやり取りが続くことがあったとして，矛盾を導こう。

　お大尽からの銀貨の供給がいつまでも続くことはないから，ある時点からは互いに銀貨を受け渡すだけになる。それより後を考えよう。そのようなある時点で，各人が持っている銀貨の枚数を右へ順にa_1，a_2，……，a_nとしよう（輪になっているので，a_n枚の人の右隣りにa_1枚の人がいる）。ここから先は，分配の「平等さ」加減を表す指標として，2乗和$S_0 = a_1{}^2 + a_2{}^2 + \cdots\cdots + a_n{}^2$を導入するのが便利だ。$a_i$はすべて偶数で，やり取りが1回行われると各人の持っている銀貨の枚数は$(a_n + a_1)/2$，$(a_1 + a_2)/2$，……，$(a_{n-1} + a_n)/2$になるから，その2乗和は

$$S_1 = \frac{(a_n + a_1)^2}{4} + \frac{(a_1 + a_2)^2}{4} + \cdots + \frac{(a_{n-1} + a_n)^2}{4}$$

に変化する。$S_0 - S_1$は簡単な計算で

$$S_0 - S_1 = \frac{(a_n - a_1)^2}{4} + \frac{(a_1 - a_2)^2}{4} + \cdots + \frac{(a_{n-1} - a_n)^2}{4} \geqq 0$$

となる。等号が成立するのは$a_1 = a_2 = a_3 = \cdots\cdots = a_n$のときである。これは，やり取りがさらに進んでも同じだから，2乗和の変遷を次々にS_2，S_3，……とすると，$S_0 \geqq S_1 \geqq S_2 \geqq S_3 \geqq \cdots\cdots$となる。各$S_i$は正の整数だから，無限に小さくなり続けることはできず，あるiが存在して$S_i - S_{i+1} = 0$である。こ

のときの各人の銀貨の枚数をb_1, b_2, ……, b_nとすると$b_1 = b_2 = b_3 = ……$ $= b_n$でなければならず，銀貨は完全に平等に分配され，以降のやり取りは安定していることがわかる。

第**118**話 | トランプ王国の
博覧会会場

　　トランプ王国の主催で博覧会をやることになった。いつものことながら，ハートの女王は大はりきりで，一番最初に会場予定地を訪れた。そして，ハート王室の本部を会場の1点に定めたうえ，そこを中心に大きな円を描き，ハート王室の展示領域をその円の内側全体と決めてしまった。

　　こうなると他の王室もじっとしてはいられない。スペード，ダイヤ，クラブの各王室も王侯たちが自ら会場に乗り込み，それぞれの王室の領域を円形に定め，本部をその中心に設定した。しかも，それぞれの展示領域の面積を

なるべく大きくしようとしたから，結局，各王室の4つの展示領域は互いに接することになった。

この接点にゲートを設けて，来場者が各領域間を自由に行き来できるようにしようというのは，自然のなりゆきだ。さらに，見た目が美しく，かつ来場者に便利な通路を配置しようということで，イモムシ探偵局に相談が行き，例によってグリフォンがアリスとともに視察に来た。

4つの展示領域が互いに接しているのを見たとたん「これはよい」とグリフォン。「何はともあれ，下の図の破線のように4つのゲートを通る円形の通路を最初に作るのが
よいだろう。5つの円が
絡み合った面白い形にな
る。残りの通路は円形の
通路から枝分かれさせて，
各領域の他の地点に行っ
たり，会場の外に出られ
るように，それぞれの王
室で設計すればよい」と
言う。

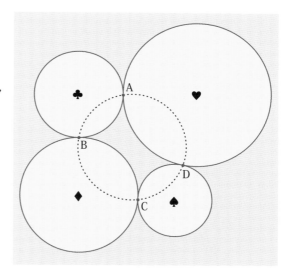

もっともな考えだが，
それを聞いていたアリス
が質問する。

「そうできれば，確かにバランスが取れた形になるけど……各領域の大きさがバラバラなのに，どうして4つのゲートを通る円が描けると断言できるんですか？　楕円とか別の形になることはないのですか？」

アリスの疑問も自然な気がするが，実はグリフォンの言葉は根拠のないものではない。読者の皆さんには，上の図のように4つの円が接しているとき，接点A，B，C，Dが同一円周上にあることを証明していただきたい。

第118話の解答

　数学パズルのコラムの大先輩である一松信先生〔京都大学名誉教授，長年にわたって「日経サイエンス」（当時「サイエンス」）に連載されたマーチン・ガードナー「数学ゲーム」の訳者を務めた〕から簡潔な証明をお送りいただいたので，まずそれを紹介しよう。

　四角形ABCDが円に内接することを示すには，相対する角の和$\angle$DAB＋$\angle$BCD＝180°，従って$\angle$DAB＋$\angle$BCD＝$\angle$ABC＋$\angle$CDAを示せばよい。ところが，下図のように4つの接点から接線を内側にのばし，AS，BT，CU，DVとすると，対称性より円の弦とその両端点での接線のなす角は等しいから

$$\angle SAB＝\angle TBA,\ \angle TBC＝\angle UCB,\ \angle UCD＝\angle VDC,\ \angle VDA＝\angle SAD$$

である。従って

$$\angle ABC＋\angle CDA$$
$$＝\angle TBA＋\angle TBC＋\angle VDC＋\angle VDA$$
$$＝\angle SAB＋\angle UCB＋\angle UCD＋\angle SAD$$
$$＝\angle DAB＋\angle BCD$$

となる。

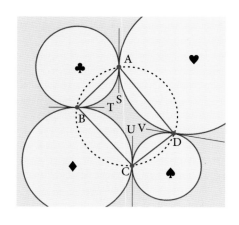

実はこの問題の正攻法による証明をちゃんと考えずに出題したのだが，このような見事な解答に気づかなかったことについては恥じ入るばかりである。

　では，筆者がどうしてこの事実を知っていたかというと，からめ手から考えたからだ。その考え方は驚くほどに強力で，正攻法では厄介な図形問題がこの裏口攻めによってあっという間に解けることがある。特に円や直線が互いに接しているような図形ではほとんど万能かと思えるほどだ。それは「円反転」という変換を経由して考えることだ。円反転という用語がどれくらい認知されているかわからないが，英語の書物では「inversion」と表現されることがあるようだ。しかし，それではうまくイメージが伝わらないようだから，ここでは日本語で「円反転」と呼ぶことにしたい。

　仰々しい名前を与えはしたが，変換自体は簡単だ。平面上に円Cを1つ定め，その中心をOとする。円Cの半径をrとしよう。Oと異なる平面上の任意の点Aを取ると半直線OAが定まるが，OA上の点A'で$OA \cdot OA' = r^2$となる点がただ1つ定まる。このA'をAの（Cによる）円反転と呼ぶことにしよう。A'の円反転がAに戻ることは明らかだ。また，中心Oの円反転は存在しないが，無限遠点∞を導入し，$O' = \infty$，$\infty' = O$と考えると，統一感が得られる。円反転はOを原点とした複素数表示を使うとすっきり表現でき，計算も簡単になるが，これはそういうことに詳しい読者にお任せしよう。

　円反転の性質をいろいろ調べていくと興味深いものがいくつもあり，それだけで数十ページを費やすことになりかねないので，ここでは必要不可欠なものを厳選して述べていくことにしよう。直ちにわかることは，円周C上の点は円反転では動かないということだ。またCの外部の点の円反転はCの内部になり，逆に内部の点の円反転は外部になる。

　第118話の問題を解くうえで核心となる観察の1つは，円や直線が円反転によってどういう図形に移るかということだ。明らかにOを通る直線lはl自身に移る。注意したいのは，直線上の各点は，円周Cとの交点を除けば，動かないわけではなく同じ直線上の別の点に移るということだ。

次にOを通らない直線はどうなる
だろうか？　答えは「Oを通る円に
なる」というものだ。図❶を見てい
ただこう。Oを通らない直線をlと
し，Oからlに垂線を下ろしその足
をH，その円反転をH′とする。l上の
任意の点Aを取り，その円反転をA′
とすると$OH \cdot OH' = r^2 = OA \cdot OA'$

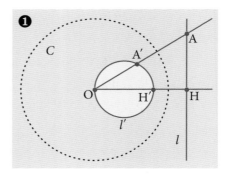

より，三角形OHAとOA′H′は相似である。よって$\angle OA'H' = \angle OHA = 90°$
であり，A′はOH′を直径とする円周l'の上にあることがわかる。

　図❶には念のため円Cを破線で描いておいた。Cの中心Oは重要だが，C
の半径はさほど重要でなく，Cが大きくなれば（その2乗の比率で）lの像で
ある円l'も大きくなるにすぎない。

　円反転のまた円反転がすべての点を元に戻すことを考えると，逆にOを
通る円は円反転によって直線に移ることがわかる。また，その円のOを通
る直径は（少なくとも延長すれば）反転像である直線と直交することもわか

るから，例えば図❷のように2つ以
上の円k，m，nがlを共通接線とし
てOで接しているとき，それらは反
転によって，lに平行な直線k'，m'，
n'に移ることになる。

　では，Oを通らない円kはどうな
るだろうか。答えは「Oを通らない
円になる」というものだ。kの中心

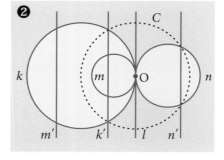

とOを結ぶ直線がkと交わる点をPとQとし，その円反転をP′とQ′としよう。
さらにk上の任意の点をAとしてその円反転をA′とすると，例えばOがkの
内側にある場合，図❸のような図が描ける。先と同様に$\angle OA'P' = \angle OPA$，

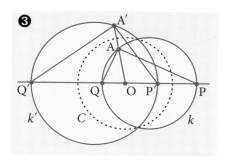

∠OA′Q′ = ∠OQA だから，

$$∠Q′A′P′ = ∠OA′Q′ + ∠OA′P′$$
$$= ∠OQA + ∠OPA$$
$$= 180° - ∠PAQ = 90°$$

となるので，A′ はP′Q′ を直径とす
る円周 k' の上にあることがわかる。O が k の外側にある場合など，C と k の
位置関係によって図は変化するが，基本的に同じ証明がどの場合にも有効で，
O を通らない円は O を通らない円に移ることがわかる。

　こうして，円反転は，どんな円や直線をも（O を通るかどうかによって状
況が分かれるが）別の円か直線に移すことがわかった。直線を「無限遠点に
中心を持つ円」だと考えれば，「円反転は円を円に移す」といってもよい。
さらに2つ以上の円や直線が接しているとき，それらの円反転像は，接点が
O であれば平行な直線になるし，接点が O 以外の点 A であれば，A の円反転
A′ で接する円や直線になることはもはや自明だろう。

　これでこの問題にチャレンジする準備が整ったように思う。円反転を考え
るときのツボは反転の中心としてうまい点を選ぶことだ。半径は図の縮尺を
変えるだけだから，さほど重要でない。問題の展覧会会場の領域図の場合は，
2つの領域の接点を中心に選ぶとよ
い。例えば，ハートとクラブの領域
の接点である A を中心に領域図を円
反転してみよう。正確な図を描く必
要はない。だいたいどんな図になる
かわかればよいので，図❹のような
イメージがぼんやりと頭の中に描け
れば十分だ。

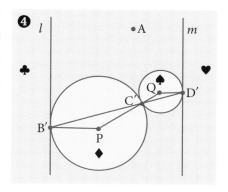

クラブ領域とハート領域はAで接する円なので，Aを中心に円反転すると，それぞれの境界は平行な直線lとmになり，クラブ領域とハート領域の反転像は，それぞれその左側と右側を占める。ダイヤ領域とスペード領域も円だが，Aを含んでいないので，それらの境界の反転像も円になり，クラブとダイヤ，ダイヤとスペード，スペードとハートの領域の反転像は，それぞれB，C，Dの円反転B′，C′，D′を接点として接する。

　さて証明したいことはABCDが同一円周上にあるということだが，これは反転像で考えればB′C′D′が（Aを通らない）同一直線上に並ぶということに他ならない。こう考えると，問題はほとんど解けたも同然だろう。反転像で考えたとき，ダイヤ領域の中心Pとスペード領域の中心Qを結ぶ線分は当然接点C′を通る。また，PB′はlと，QD′はmと直交し，lとmは平行だから，PB′とQD′も平行である。よって∠PQD$\fallingdotseq$∠QPB′だから，2等辺三角形C′QD′とC′PB′は相似になり，∠QC′D′＝∠PC′B′である。PC′Qは直線だったから，こうしてB′C′D′も直線をなすことがわかる。

　老婆心ながら，例えば図❺左のように直線B′C′D′が反転中心のAを通る場合，ABCDも同じ直線になって円を作らないことが心配になるが，円反転前の領域に戻して考えると，図❺右のように，1つの円の中に他の3つの円が含まれており，題意に合わないことがわかる。

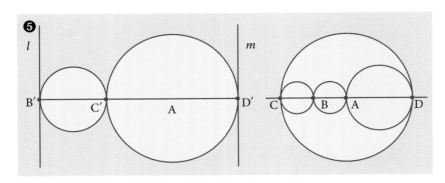

❺

第**119**話 ハリネズミロボットの操作合戦

アリスとグリフォンが散歩中にトランプ王宮のクローケーグラウンドを通りかかると，お茶会3人組が何やらワイワイやっているところに出くわした。

あら，こんなところでお茶会でもないだろうにとアリスは思って「何をなさってるんですか？」と声をかけると，帽子屋が地面を指さした。先に小さな動物がいると思いきや，よく見ると機械仕掛けのハリネズミだ。「クローケーやビリヤードの道具として生きたハリネズミやフラミンゴを使うのは，

動物愛護精神に反するということで，最近不評なんだ。それで，ハートの女王が鏡の国の白の騎士に注文して作ってもらったのがこのハリネズミロボットで，俺たちがテスト運転を請け負ったというわけ」と三月ウサギが言う。

さらに「よくできているよ。リモコンで方向と強さを定めてボタンを押すと，ハリネズミはコロコロと転がっていき，やがて止まる」と言って，手に持ったリモコンのボタンを押す。ハリネズミは実際に1mほど転がって止まった。帽子屋もヤマネも同じようなリモコンを持っている。「そんな大掛かりなものを作らなくても，普通のボールでやればよいのに」とアリスは思ったが，ハートの女王のやることに批判は禁物だ。

黙って聞いていたグリフォンが割り込む。「いいことを思いついたぞ。ただテストというのも退屈だろうから，それでゲームをしよう。君たち3人は今の位置から動かないことにする。交代にそのハリネズミを動かして，自分とハリネズミの距離を，他の2人とハリネズミの距離の和以上にできたら勝ちというのはどうだい。なかなか勝負がつかないかもしれないから，ハリネズミが止まった位置と限らず，ハリネズミがどこかそういう場所を最初に通過したら勝ちにしよう」。

ゲームが始まった。しばらくすると特に計画性もなくリモコンを操作しているように見えたヤマネが勝ってしまった。帽子屋が文句を言う。「そりゃそうさ。三月ウサギと俺の距離は近いが，ヤマネの奴はだいぶ離れたところにいる。最初から有利だったに違いない」。

これを聞いてしばらく考えていたグリフォンが言う。「確かに……かといって，3人の距離をみな同じにするのは面白くない。じゃ，こういうのはどうだろう？　自分とハリネズミの距離をa，他の2人の距離をbとし，$s = ab$という量を考える。3人それぞれでこの量を考え，この量が他の2人の量の和以上になる場所をハリネズミが最初に通過したら勝ちというのでは？」

読者に考えていただきたいのは，グリフォンのこの提案でゲームをした場合，3人それぞれが勝ちになる場所が存在するかということと，そのような場所が存在する場合にゲームは公平といえるだろうかということだ。

また，ハリネズミロボットは地面を走り回るが，ドローンを使って同じようなゲームをしたらどうなるだろうか？　ただしドローンは空中に自由に浮かんでいられるものとする。

　一応，問題を厳密に述べておこう。ヤマネのいる点をA，帽子屋と三月ウサギのいる点をそれぞれB，Cとする。最初のゲームでヤマネが勝ったということは，$AP \geqq BP + CP$である点Pをハリネズミが通過したということだ。不公平を解消しようとしてグリフォンが新たに提案したゲームでは，ヤマネの勝利条件は$AP \cdot BC \geqq BP \cdot AC + CP \cdot AB$となる。また，ハリネズミではなくてドローンの場合，点PはA，B，Cと同一平面上にあるとは限らないということだ。

第119話の解答

　有用な割には知名度の高くない幾何の定理に「トレミーの不等式」と「トレミーの定理」というのがあり，実は，問題はほぼストレートにそれを問うたものである。

　トレミーの不等式とは「平面上に4つの点A，B，C，Dをとると，その位置に無関係に AD・BC ≦ BD・AC ＋ CD・AB となる」ことを主張するものだ。それを認めると，ハリネズミの位置PでDを置き換えることにより，AP・BC ≦ BP・AC ＋ CP・AB となる。ヤマネの勝利条件はこの不等式の向きを逆にしたものだから，ヤマネが勝つための条件はトレミーの不等式で等号が成立することと同じだ。つまり，AP・BC ＝ BP・AC ＋ CP・AB となることだが，その必要十分条件は，A，B，C，Pが同一円周上にあり，弦APと弦BCが交わることだ。この内容こそ「トレミーの定理」と呼ばれるもので，「不等式」よりは知られているようだ。

　トレミーの不等式の証明からはトレミーの定理が簡単に得られることが多い。また，三平方の定理（ピタゴラスの定理）は，ABPCが長方形をなす場合を考えることで，トレミーの定理から直ちに得られる。

　さて，最初の問題の解だが，トレミーの不等式やトレミーの定理を援用して考えると，A（ヤマネの位置），B（帽子屋の位置），C（三月ウサギの位置）を通る円，すなわち三角形ABCの外接円の周上のどこかにハリネズミが到達すれば3人のうちの少なくとも1人が勝利条件を満たす。ABCの外接円周は点A，B，Cによって3つに区切られるが，ハリネズミが弧AB上に到達したなら三月ウサギの勝ちで，弧BC上ならヤマネ，弧CA上なら帽子屋の勝ちである。またA点にハリネズミが達したなら，三月ウサギと帽子屋の勝利条件が同時に満たされる。B点，C点も同様だ。それ以外の点ではだれの勝利条件も満たされない。

　従って結論としては，グリフォンの新しい提案では，3人がそれぞれ勝利

する可能性はあるが，残念ながら十分公平とはいえず，自分の勝利に貢献する弧が長いほうが一般には有利といえる。弦BCが短ければ弧BCも短くなるから，3人が位置を変えずに勝負を続けるならヤマネに不利になる変更だ。

しかしグリフォンの最初の提案では，例えばAB＞AC，AB＞BCのような場合，トレミーの不等式よりCP・AB≦BP・AC＋AP・BCだから，いつでも

$$CP \leqq BP \cdot \frac{AC}{AB} + AP \cdot \frac{BC}{AB} < BP + AP$$

となり，三月ウサギは決して勝てない。よって，新しい提案は最初の提案よりは公平だといえる。

次に，ハリネズミの代わりにドローンを使う場合だが，これは少し考えれば，ドローンが空中にあるときは3人とも勝利条件は決して満たされないことがわかる。なぜなら，A，B，Cは定点だからBP，CPが一定なら，APが最大となるのは，三角形ABCと点Pが同一平面上にありAとPが辺BCを挟んで反対側にある場合であることが明らかだからだ。その場合ですら，トレミーの不等式よりAP・BC≦BP・AC＋CP・ABだから，APがより小さくなれば，逆の不等式が成り立つはずはない。というわけで，勝負がつくためにはドローンよりハリネズミでゲームをやったほうが無難だろう。

第119話のパズルの解答については以上だが，解答に用いたトレミーの定理や不等式は，いくら認知度が高くないといっても，インターネット検索をすればその証明がいくらでも見つかる。だから，ここで丁寧に説明する必要はあまりない気もするが，第118話の解答で用いた「円反転」を利用した簡潔な証明があるのでそれを紹介しよう。

簡単に復習すると，Oを中心とする円反転によって，Oを通る直線はそれ自身に，Oを通らない直線はOを通る円に移る。また，Oを通る円はOを通らない直線に，Oを通らない円はOを通らない円に移る。

ここで，中心をAとする円反転を考えると，三角形ABCの外接円はBの像B′とCの像C′を結ぶ直線 l に移る。さらにPの像P′を考えるとPがABCの外接円上にあれば，P′もまた直線 l 上に移る。特にPが弧BC上にあれば，P′はB′とC′の間にあるから，B′C′＝B′P′＋C′P′が成立する（下図）。

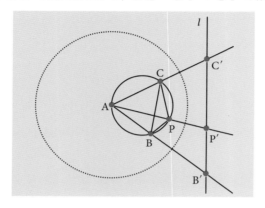

第118話の解答では距離の話をほとんどしなかったが，中心がAで半径 r の円に関してのBとCの円反転像をそれぞれB′とC′とすると，$AB \cdot AB' = AC \cdot AC' = r^2$ となる。だから三角形ABCと三角形AC′B′は相似なので，

$$\frac{C'B'}{BC} = \frac{AC'}{AB} = \frac{AB'}{AC} = \frac{r^2}{AB \cdot AC}$$

であり，

$$C'B' = \frac{r^2 \cdot BC}{AB \cdot AC}$$

が成り立つ。B′P′とC′P′についても同様の式が成立する。それらを先の等式に代入すれば

$$\frac{r^2 \cdot BC}{AB \cdot AC} = \frac{r^2 \cdot BP}{AB \cdot AP} + \frac{r^2 \cdot CP}{AC \cdot AP}$$

24

となり，分母を払うことでトレミーの定理が得られる。

　またPが弧BC上にない場合，P′は線分B′C′上にはないが，三角不等式により，一般にB′C′≦B′P′＋C′P′は成り立つので，同様にトレミーの不等式が証明される。

第120話 料理番を出し抜け

　公爵夫人の料理番はルンルンとご機嫌だ。珍しい食材が手に入ったからで，どう料理しようかと朝からあれこれと考えている。「よし，これでいこう」と心に決めて調理場に入ると，当の食材が消えている。実は，その食材とは生きたスッポンで，料理法についての考えがまとまるまで，水を張った器に入れて調理場に放置しておいたのだが，どうやら器が浅すぎてそこから這い出

したらしい。しかも裏口の扉がわずかに開いていたので，その隙間をすり抜けて外へ逃げ出したようだ。

　放置しておいた時間はかなり長いが，しょせんスッポン，足は遅い。何とか捕まえられるのではないかと，急いで裏口を飛び出してあちこち探してみたがなかなか見つからない。キョロキョロしながら裏口近くの沼の岸に差しかかると，少し遠くにスッポンの姿が見えた。スッポンはちょうど沼に飛び込むところだった。岸のあたりの水深は浅い。料理番も反射的に沼に飛び込み，追跡劇が始まった。

　水の中ではスッポンも結構速い。浅瀬とはいえ水の中を走る料理番の速さとそう大差はない。しかも，岸からある距離以上に離れると急に水深が深くなるので，スッポンはそこまで逃げれば，料理番の追跡から逃れることができる。このことを知ってか知らずか，スッポンは脇目もふらずに岸に垂直な方向に一定の速さでまっしぐらに泳いでいく。一方，料理番はというと，スッポンがどの方向に進むつもりかわからないので，いつでもその時点にスッポンのいる方向を目指してやはり一定の速さで走っていく。

　結局，スッポンは捕獲されたが，あとほんの少しで逃げ切れるところだった。料理番は捕獲時に指をしたたか噛みつかれて相当に痛い思いをしたが，せっかくの食材を失わなかったことはまずめでたしといったところだろう。

　ところで，料理番がスッポンを捕まえるまでにスッポンが泳いだ距離と，料理番とスッポンが同時に沼に飛び込んだときの両者の距離はどちらも20mだったという。そこで読者にはまず，料理番が水の中を走る速さとスッポンが泳ぐ速さの比を求めていただきたい。

　もちろん料理番のほうが速かったからこそ，スッポンを捕まえることができたわけだが，もし，両者の速

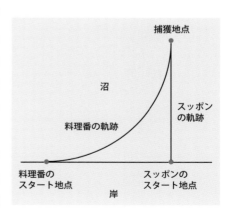

捕獲地点

沼

スッポン
の軌跡

料理番の軌跡

料理番の
スタート地点

スッポンの
スタート地点

岸

さが同じなら，両者の軌跡はだんだん近づき，スッポンのほぼ真後ろを料理番がだいたい一定の距離を保って追いかける展開になる。浅瀬を越えてスッポンが逃げ切り，料理番があきらめるまでは，これが続くが，この一定の距離とはどのくらいか読者にはわかるだろうか。

第120話の解答

27ページの図を見て，料理番の軌跡が円弧だと誤解された読者がおられるかもしれない。そうだとすると，最初の問題の速さの比は $\pi/2 \approx 1.57$ と簡単に得られるのだが，残念ながらその比では捕獲地点が実際には岸からもう少し遠くなる。

料理番の軌跡は円弧ではないので，その形や長さを正確に定めようとすると，普通は微積分計算が必要になる。ここではなるべく初等的に比を求める方法を紹介しよう。しかし，複雑な計算はしないまでも微積分の式を利用したほうが説明しやすいから，そういう式が苦手な読者にはご容赦願いたい。

説明を簡単にするために岸は東西に走っていて，スッポンの向かう方向は真北としよう。また，スッポンが泳ぐ速さを v（従って20mを泳ぐのに要する時間は $20/v$），料理番が浅瀬を追いかける速さを Rv とする。この R を求めることが最初の問題だ。着目するとよいのは，時々刻々と変わる料理番とスッポンとの距離だ。追跡途中のある時刻 t（$t=0$ にスッポンと料理番が沼に飛び込んだとする）において，料理番から見たスッポンの方角と真北がなす角を $\alpha(t)$ としよう（右図）。

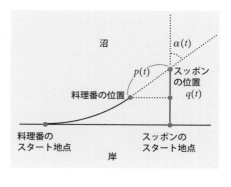

スッポンは料理番の位置など気にせずに真北に v の速さで進むから，料理番から見たとき，スッポンが離れていく速さは $v\cos\alpha(t)$ だ。一方，料理番はそれを速さ Rv で追っているのだから，その距離は $Rv - v\cos\alpha(t)$ のペースで縮まっている。さて，ちょうど時刻 $20/v$ に料理番がスッポンに追いついたということは，最初20mあった距離が0になったということだから，積分記号を援用して表現すると

$$\int_0^{20/v}(Rv-v\cos\alpha(t))\,dt=20-0=20$$

となる。この式から簡単な計算で

$$R-\frac{1}{20}\int_0^{20/v}v\cos\alpha(t)\,dt=1 \quad\text{(A)}$$

が得られる。一方，この間に料理番が北方向にどのくらい進んでいるかを考えてみるとそれはもちろん20mなのだが，時刻 t における料理番の速度の北方向の成分は $Rv\cos\alpha(t)$ だから

$$\int_0^{20/v}Rv\cos\alpha(t)\,dt=20$$

が成り立ち，その結果

$$\frac{1}{20}\int_0^{20/v}v\cos\alpha(t)\,dt=\frac{1}{R} \quad\text{(B)}$$

となる。（A）と（B）から，$\cos\alpha(t)$ やその積分を実際には計算することなしに代数方程式 $R-1/R=1$ が得られ，これを $R>0$ に注意して解けば，

$$R=\frac{1+\sqrt{5}}{2}\approx1.618$$

だ。これが「黄金比」と呼ばれることを読者はご存じだろう。

　ちなみに，同じ考え方は速さの比や距離の比が別の値であっても有効で，例えば速さの比 R が1.5だった場合，3/2－2/3＝5/6だから，最初20m離れている場合，岸から20÷5/6＝24mの地点で料理番はスッポンに追いつくことがわかる。

次に，速さの比Rが1，つまり料理番とスッポンの速さが同じだった場合について考えよう。上図で時刻tにおける料理番とスッポンの距離を$p(t)$とし，料理番とスッポンが南北方向にどのくらい離れているかを$q(t)$とする。明らかに$q(t) = p(t) \cos \alpha(t)$だが，ポイントは$p(t) + q(t)$が$t$に無関係に一定だと気づくことだ。なぜなら，時刻$t$において，料理番は単位時間あたり$p(t)$を$v$だけ縮めようとし，逆にスッポンは$v \cos \alpha(t)$だけ伸ばそうとするから，その変化量は$dp/dt = -v + v \cos \alpha(t)$である。他方，$q(t)$について考えると，料理番の動きにより$q(t)$は単位時間あたり$v \cos \alpha(t)$縮み，スッポンの動きによって$v$伸びるから，その変化量は$dq/dt = v - v \cos \alpha(t)$である。結局，$dp/dt + dq/dt = 0$だから$p(t) + q(t)$はいつも一定で，最初の20mがずっと保たれる。料理番がスッポンのほとんど真後ろを追いかけるようになると$p(t)$と$q(t)$はほぼ等しいから，その距離はだいたい10mである。

　鏡の国は今，ちょっとしたイタリア料理ブームだ。といっても，高級料理店への客足はそれほど多くないようで，繁盛しているのはもっぱらピザを中心に提供している店だ。

　東ナイト駅の近くにも，ピザ店がオープンした。看板メニューは大きなピザだが，焼き上がった丸いピザが大きすぎて切るのが大変ということで，自

動ピザカッターを作ってほしいという依頼が白の騎士のところに来た。一切れのサイズは気にしなくて構わないから、とにかくバサッと切り分けてくれるものがよいという。そこで、白の騎士は、丸いピザの周の2点を選び、その2点を結ぶ直線に沿って切るというカッターを開発した。

そのカッターで何回か切ったピザは、一切れのサイズも形もマチマチで、放射状に切られたものよりも面白いと評判もよく、白の騎士もピザ店主も気をよくしている。実際、丸いピザがどのような形に、いくつに切り分けられるかというのは運任せみたいなもので、カッターから出てくるまでわからない。

さて、読者にはまずウォーミングアップとして、丸いピザをこのカッターでn回切ると、最大でいくつのピースに分かれるかを考えていただきたい。また、カッターが丸いピザの周の2点を「一様ランダムに」選んで切っているとしたら、n回カットすると平均でいくつのピースに分かれるだろうか？

実は、白の騎士は別のカッターも試作していた。そのカッターは丸いピザの周上の点を同時にm個選び、その2点ずつを結ぶ直線すべてに沿って一気に切るというものだった。効率よくカットできるが、一切れが小さくなりすぎることが頻繁に起こり、採用されなかった。参考のため、mが3、4、5の場合のカット例を下図に示す。ピース数はそれぞれ4、8、16だが、一般のmの場合、このカッターによるピース数を表す式はどうなるだろうか。なお、3本以上の切断線が1点で交わるというようなことは、周上でしか起こらないものとする。

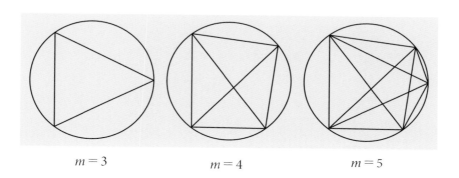

$m = 3$ $\qquad\qquad$ $m = 4$ $\qquad\qquad$ $m = 5$

第121話の解答

　最初のウォーミングアップ問題だが，まず最大のピース数を考える前に，どういう切り分け方がありうるかを考えてみよう。まず1回切るだけだと，ピザは2切れに分かれるのみだ。2回ならば，その2つの切断線が交われば4ピースに，そうでなければ3ピースに分かれる。切断線が3本だと，場合の数が急に増えるが，まだ書き出すことができて，例えば下図のような場合が考えられ，ピース数は左から順に4，5，6，7だ。

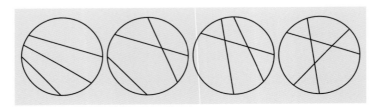

　切断線の本数が同じなら線の交点が多いほどピース数が増えそうだということは図から見て取れる。既に何本かの切断線があるときにもう1本切断線を増やすとどうなるかを考えてみよう。下図をご覧いただきたい。

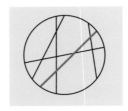

　青線で示した新しい切断線は他の3本の切断線と交わり，4つの線分に分割されているが，これらの線分それぞれが既にあったピースを二分してピース数を増やしている。つまり，この切断線が加わることにより，ピース数は4つ増えている。

　さて，既にn本の切断線があるところに，新しい切断線を加えるとピース数は最大でいくつ増えるだろうか。これは簡単だ。切断線は直線だから，他

の線と2カ所以上で交わることはできない。つまり、既にあるn本すべてと交わることで、交点数は最大のnになり、切断線自身は最大で$n+1$個の線分に分割される。これらの線分が既にあったピースをそれぞれ二分するからピース数は最大で$n+1$増えることになる。新しい切断線を注意深く引けば、この最大の交点数nを達成することがいつでも可能なことは、すぐわかる。従って、n本の切断線でできる最大のピース数をF_nとすると、漸化式$F_{n+1}=F_n+(n+1)$が得られる。また、$F_0=1$だから、この漸化式を解いて、$F_n=(n^2+n+2)/2$を得ることは、高校数学の範囲だろう。$F_3=7$だから、$n=3$の場合の4つの図（左ページの上図）において、一番右がピース数最大の場合を与えることに合致する。

このように漸化式を考えながら、以降の問題に挑戦することも難しくはないのだが、上の考え方をさらに整理してみよう。切断線が1本増え、その切断線が他の切断線とnカ所で交わるとピース数が$n+1$増える。このことから、次のことに気がつくのがポイントだ。直線だけで丸いピザを切る場合、切断線の数をL、それらの直線が作る交点の数をPとするとピース数は$P+L+1$となる。なぜなら、最初は丸いピザが1ピースだけあり、切断線やそれらの交点の増加はそのままピース数の増加につながるからだ。この式に基づいて、先のピース数最大の場合をもう一度考えると、明らかに$L=n$であり、Pが最大になるのはn本の切断線がすべて互いに交わる場合だから、${}_nC_2$である。従って、最大ピース数は

$$P+L+1={}_nC_2+n+1=\frac{n^2+n+2}{2}$$

で与えられる。

次の問題は平均ピース数だ。これを上の考え方で一気に料理してしまおう。先と同じで$L=n$だが、Pは最大を考えるのではなく平均だ。それには2本の切断線が交わる確率がわかればよい。切断線の端点はピザの周から2点を

一様ランダムに選ぶというのが条件だった。2本の切断線の場合，これは4点を一様ランダムに選び，その2つずつを結ぶのと変わらない。ただ，どの2つを結ぶかで下図の3通りに分かれる。

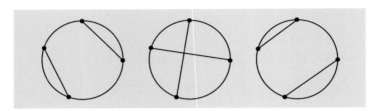

切断線が交わるのは真ん中の場合だけであり，一様ランダムという仮定から，その確率は1/3だ（上図のどれになるかはまったく均等）。従って全部で$_nC_2$ある切断線の対の中で交わるのはその1/3と期待され，交点数Pの期待値は$_nC_2/3$となる。よって，ピース数の平均値（期待値）は

$$P+L+1 = \frac{_nC_2}{3}+n+1 = \frac{(n+2)(n+3)}{6}$$

となる。

最後の問題は，同時にm点を選び出すタイプの自動カッターによるピース数だ。mが小さいときはmが1増えるごとに倍になっているので，ピース数は2^{m-1}と予想したくなるが，これは$m=6$で成り立たなくなる。これも先の問題と同様に考えよう。

まずLだ。これは比較的簡単で，m個の点から2つずつ選んで2点を結ぶ切断線をすべて引くのだから，$L = {}_mC_2$だ。厄介そうに思えるのがPだが，実は，m個の点から4つを選び四角形を作ると，その対角線の交点として切断線の交点が得られることに気がつくと簡単になる。逆に切断線が交わっていれば，それらを対角線とする四角形がただ1つ決まるので，四角形と切断線の交点は1対1に対応し，その数は等しい。m個の点から4つを選んで作る四角形の数はもちろん$_mC_4$であり，これがPに等しいから，ピース数は

$$P + L + 1 = {}_mC_4 + {}_mC_2 + 1$$

となる。これはmに関する4次式だから，多項式の形に書くこともできるが，上のままのほうがかえって計算しやすいような気がするのでこのままにしておこう。この式は，$m < l$の場合に${}_mC_l = 0$と決めておけば，$m = 1$，2，3の場合にも使えて便利である。$m = 1$，2，3，4，5，6，7の場合，それぞれ1，2，4，8，16，31，57となり，倍倍になっていくというパターンから$m = 6$で初めて外れることがわかる。

第**122**話 続・ハリネズミロボットの操作合戦

春を迎えたトランプ王宮の花園はまさに満開だ。うきうき気分のアリスが様子を見にくると、お茶会3人組が近くのクローケーグラウンドの一角に陣取り、先日グリフォンと散歩に来たとき（第119話）みたいに、機械仕掛けのハリネズミを使って何やらゲームに興じている。

　3人組は侃々諤々（かんかんがくがく）の議論に花が咲き、菜の花や撫子を愛でる余裕はなさそうだ。今度は、ヤマネの姪たち7人も一緒にいて、ヤマネに代わって知恵を貸している。

　「ほら、そんなところに移動してもダメだ。もっと北だと言ったろ」と帽子屋が三月ウサギに指示を出す。

　「うるせいやい。ヤマネのやつがあんなところに動かしやがるから、計画が狂ったんだ。だいたい、おめえのハリネズミがそんなところに居座っているので、ヤマネだって動きにくいんだ」

　「そうよ」とヤマネに代わって口を出したのは姪のマンデイだ。「帽子屋さんがもう少し東に陣取っていれば簡単なのに……」。

　何が起こっているのかわからずキョトンと見ているアリスにサンデイが気がついて近づいてきた。サンデイによれば、鏡の国の白の騎士が、動きを制限した改良ハリネズミロボットを考案し、新しいゲームを提案したという。

　「今度は、3人がそれぞれ1台のハ

リネズミを操作するの。各ハリネズミをあらかじめ指定された場所に移動できればクリアというわけよ」

「それなら目標地点までの方向と距離を定め，ボタンを押すだけだから，たいして面白いこともないでしょうに」とアリス。「なんだって帽子屋さんがあんなに威張って指示を出しているのかしら？」

「実は，白の騎士さんの改良というのがとても奇妙で，いっときに1台のハリネズミだけが動けるんだけど，勝手な方向には動けないんです。互いにぶつかることがないように，他の2台のハリネズミを結んだ直線と平行な方向にだけ動くようになっているんです。つまり，リモコンで指定できるのは平行な方向のどちらの向きに移動するかということと距離だけ。ね，この条件で3台のハリネズミが目標の場所に行くって，結構大変でしょう。だから皆が協力してうまくやろうとしてるんだけど，なかなか意見が合わなくて」

というわけで，読者にも協力をお願いしたい。3台のハリネズミが一直線上に並んでいる場合にどの1台もその直線の外に出ることができないのは明らかだ。では，そうでない場合にどの程度自由に位置を変えることができるだろうか？　ヤマネ，帽子屋，三月ウサギが操作するハリネズミが，それぞれ平面上のA，B，Cという位置にいて，同一直線上ではないとする。

まず，ウォーミングアップとして，ヤマネ，帽子屋，三月ウサギのハリネズミの位置がそれぞれB，C，Aとなるように操作できるかを考えていただきたい。また，ヤマネと帽子屋のハリネズミだけが位置を交換し三月ウサギはそのまま，つまりそれぞれB，A，Cという位置を占めることはできるだろうか？　できるならばその手順を，できないならばその理由を考えてほしい。

次に，通常のxy平面においてヤマネ，帽子屋，三月ウサギのハリネズミの最初の位置の座標をそれぞれ $(0, 0)$，$(2, 0)$，$(0, 2)$ とするとき，それぞれが $(0, 0)$，$(4, 0)$，$(0, 1)$ に移動できるだろうか？　また $(0, 0)$，$(0, 3)$，$(3, 0)$ に動くことは可能だろうか？

余裕のある読者は，3台のハリネズミがある初期位置から別の位置に動け

る場合，それらの位置がどういう関係になっていればよいか，その条件を見つけていただきたい。条件を満たす場合にどのように動けば目標が達せられるか，具体的な手順を示してもらえるとなおよい。

第122話の解答

　考え方のコツがわかるまでは，多くの人は最初のウォーミングアップ問題ですら，ちょっと戸惑うかもしれない。しかし，しばらく考えれば，3台のハリネズミの位置は例えば次のようにして入れ替えられることに気づくだろう。まず，ヤマネがAにいる自分のハリネズミをC→Bの方向に平行にBCと等距離だけ動かす（下図）。

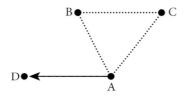

　ヤマネ（のハリネズミ）の新しい位置をDとすると，ACBDが平行四辺形をなしていることがポイントだ。するとCにいる三月ウサギ（のハリネズミ）がBDと平行に移動し，Aに来ることが可能になる。次には帽子屋がBからCに移動することが可能になり，最後にヤマネがDからBに移動すれば，3台の位置の入れ替えが完成する。

　では，三月ウサギの位置Cをそのままにして，ヤマネと帽子屋だけが位置を入れ替えることは可能だろうか？　今度はいろいろとやってみてもうまくいかない。そこでこれは不可能なのだろうと予想し，数学の常套手段として，ハリネズミの操作で変化しない不変量を探すことになるが，それは何だろうか？　気がつきにくいかもしれないが，それは3台のハリネズミが作る三角形の「向き」である。ハリネズミたちの現在位置をヤマネ（A）→帽子屋（B）→三月ウサギ（C）→ヤマネ（A）の順で巡回するとき，その向きが反時計回りであれば，三角形ABCの向きは「正」であるとする。逆に時計回りであれば，向きは「負」であるとする。例えば，上の図では三角形ABCの向きは負である。

少し考えればわかることだが，3人組がハリネズミをどう操作しようと，白の騎士の設計による制限された動きのせいで，この「ヤマネ→帽子屋→三月ウサギ」の3台のハリネズミが作る三角形の向きは決して変化することがない。もし，左ページの図でヤマネと帽子屋だけが位置を入れ替えることがあったとすれば，それは最初負であった三角形の向きが正に変わったことになる。それは許された操作では不可能である。

　実は，この三角形には向き以外にも不変量が隠れている。もしかしたらそちらのほうが向きよりも気がつきやすいかもしれないので，気がついた読者もおられるだろう。それは三角形の面積である。制限されたハリネズミの動きでは，問題の三角形の底辺と高さが一定だから，面積が変化しないことは直ちにわかる。

　この向きと面積をまとめて表す不変量が存在する。今，適当な座標を導入し，ヤマネ，帽子屋，三月ウサギのハリネズミの位置をそれぞれA (a_1, a_2)，B (b_1, b_2)，C (c_1, c_2) としよう。このとき行列式

$$\det \begin{pmatrix} a_1 & b_1 & c_1 \\ a_2 & b_2 & c_2 \\ 1 & 1 & 1 \end{pmatrix} = a_1 b_2 - a_2 b_1 + b_1 c_2 - b_2 c_1 + c_1 a_2 - c_2 a_1$$

の値がその不変量だ。ここから先は，大学初年で習う線形代数の知識があるとわかりやすいが，上式の右辺によって値は計算できるから，そのような知識がなくても確認は容易と思う。実は，三角形ABCの面積がSであるとき，その向きが正ならば上の行列式の値は$2S$になり，向きが負ならば$-2S$になる。この値が不変量となるゆえんだ。

　実際，AにいるヤマネのハリネズミがC→Bの方向にBCのα倍だけ動く場合，その座標は (a_1, a_2) から

$$(a'_1, a'_2) = (a_1 + \alpha(b_1 - c_1), a_2 + \alpha(b_2 - c_2))$$

に変化する。よって移動後の行列は

$$
\begin{pmatrix} a'_1 & b_1 & c_1 \\ a'_2 & b_2 & c_2 \\ 1 & 1 & 1 \end{pmatrix} = \begin{pmatrix} a_1 & b_1 & c_1 \\ a_2 & b_2 & c_2 \\ 1 & 1 & 1 \end{pmatrix} \begin{pmatrix} 1 & 0 & 0 \\ \alpha & 1 & 0 \\ -\alpha & 0 & 1 \end{pmatrix}
$$

このとき，右辺の右側の行列の行列式の値は1だから，移動前後の行列の行列式は変化しない。帽子屋や三月ウサギのハリネズミが動く場合も同様だ。

最初 $(0, 0)$，$(2, 0)$，$(0, 2)$ にいた場合，問題の行列式の値は4である。位置 $(0, 0)$，$(0, 3)$，$(3, 0)$ の場合の行列式の値は -9 だから，この位置への移動は不可能だとわかる。他方，位置 $(0, 0)$，$(4, 0)$，$(0, 1)$ の場合の行列式の値は4だから，この位置へは移動できる可能性がある。実は，行列式の値が一致することは十分条件でもある。つまり，その場合は必ず移動可能だから，以下ではその手順の概略を述べよう。

ヤマネ，帽子屋，三月ウサギのハリネズミがA，B，Cにいるとして，それをD，E，Fに移動したいとしよう。ただし，三角形ABCとDEFは面積と向き（つまり行列式の値）が等しいとする。

まず，Aにいるヤマネのハリネズミを位置Dに移動する手順を示そう（右下の図）。Cを通りADに平行な直線lを引く。続いてBを通りACに平行な直線mを引き，lとmの交点をGとする。そこで（ACとBGは平行だから）Bにいる帽子屋のハリネズミをGに移動する。次に（ADとCGは平行だから）AにいるヤマネのハリネズミをDに移動する。これで目的は達したが，このとき三月ウサギのハリネズミは動かずにいることがミソだ。

上と同様の手順で，いまはGにいる帽子屋のハリネズミをEに移動する。ただし今度はDにいるヤマネのハリネズミは動かない。こうして，ヤマネと帽子屋のハリネズミは目標位置に来たが，実はABCとDEFの面積と向きが一致してい

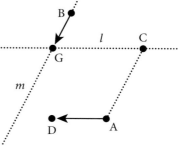

るという条件により，三月ウサギのハリネズミの現在位置とFとを結ぶ直線はDEと平行であることが保証されている。従って，あとはただ三月ウサギのハリネズミをFに移動させればよい。

　念のため注意しておくと，上の手順が何の支障もなくできるとは限らない。例えばA，C，Dが一直線上にあれば，最初の段階での直線lとmが平行になり，Gが作図されないなどのことが起こりうる。しかし，最初に三月ウサギのハリネズミの位置を少しずらして始めるなどの工夫により，最終的な目標は必ず達成できる。読者には $(0, 0)$，$(2, 0)$，$(0, 2)$ から $(0, 0)$，$(4, 0)$，$(0, 1)$ への移動などを実際に試みていただきたい。

第123話 いつまで続く？ 巴戦

　春は物言う花たちも満開で，鏡の国の花園はさぞかし美しいだろうと思ってアリスが散歩にやって来た。確かにスミレやポピーがそこかしこで咲き乱れているのだが，花たちの会話や独り言でかしましいことこの上ない。アリ

スはたちまちうんざりしたが，わざわざ来た手前，挨拶しただけですぐに立ち去るのも角が立ちそうと悩んでいると，少し遠くで赤のポーンたちが手招きしている。

　これ幸いとポーンたちのほうへ行くと，こちらはカルタ取り勝負の最中らしい。1人が言う。「あんなおしゃべりの花たちと付き合っていたら日が暮れちゃうよ。それより俺たちの勝負の立会人になって，どちらが早いかとかお手付きがないかとか，判定してくれないか？　今，競技カルタ風の1対1勝負でチャンピオンを決めようとしてるんだ」。

　「8人いるから，トーナメント方式でやれば公平というわけですね」とアリス。「いや，それだと，チャンピオンになったとしても，対戦してない相手がいるだろ。それぞれに苦手の相手がいるかもしれないし，全員に勝つまではチャンピオンになれないようにしようと思うんだ。そこで，次のようなルールを考えた」。

（1）最初は全員に対戦権がある。

（2）各回で対戦する2人は対戦権を 持つ人の中からくじ引きで決める。

（3）各対戦の敗者は，勝者の支配下に入り対戦権がなくなる。

（4）支配者が負けると，その支配下全員の対戦権が復活する。

（5）対戦を繰り返し，1人が他の全員を支配下に入れたとき，その支配者がチャンピオンになる。

　「なるほど，自分の支配下に入れるには，直接対決して勝たないといけないから，チャンピオンになった場合は，他の全員に勝っているはずとい

うわけね」とアリス。「日本の相撲の優勝者決定方式に巴戦というのがある
だろ。あれを応用したというわけさ」。

「え，何，日本のスモモ？」とアリスは思ったが，ここは知ったかぶりを
して「あらそう，うまく考えたわね。でも，それで公平なのかしら。それに，
各勝敗は時の運といえるのかもしれないけど，『三すくみ』が生じていれば，
いつまでもチャンピオンが決まらないということになるわ」。

「まさか。多少の苦手はあっても，完全な三すくみというのはないさ。ま，
チャンピオンが決まるまで，多少，時間がかかるかもしれないけど」という
言葉に，アリスは「花たちのおしゃべりに付き合っていた方がまだましだっ
たかも」と心配になる。

さて，読者にはこのアリスの懸念について考えてもらいたい。まず，ウォー
ミングアップとして，3人での巴戦の場合を考えてもらおう。対戦する2人
はくじ引きで選ばれるから，実際上の問題はないのだが，3人巴戦の場合は，
最初に対戦する2人と残った1人では微妙に公平性に差があることが知られ
ている。3人の実力が伯仲していてどの対戦でも勝率が半々だとしたら，そ
れぞれがチャンピオンになる確率はどうなるだろうか？　また，この場合，
チャンピオンが決まるまでに，延べ何回の対戦が必要だろうか，その期待値
を求めてほしい。

最後に，これが本題だが，8人のポーンでこの勝負をやった場合，チャン
ピオンが決まるまでに何回くらいの対戦が必要だろうか？　もちろん，完全
な三すくみがあればチャンピオンは永久に決まらないし，極端に強い人がい
れば最短7回で決まってしまうこともあるわけだが，これも各対戦の勝率は
半々という仮定で考えていただきたい。

第123話の解答

　ウォーミングアップの最初の問題は，いろいろな本で取り扱われているし，これを少し改変した問題が近年の東大入試に出たこともあって，ご存じの読者も多いことだろう。場合分けをきちんとして，システマチックに考えていけば高校数学の範囲で正解にたどり着ける。

　最初の対戦の勝者をA，敗者をB，最初の対戦で待機していた人をCとし，それぞれがチャンピオンになる確率をa，b，cとしよう。次の対戦はA対Cとなるが，Aはこの対戦に勝てば（確率1/2）チャンピオンになる。負けても，次にBがCに勝ちそのBに再び勝つことで（確率1/8）またチャンスが訪れる。よって$a = 1/2 + a/8$という方程式が成り立つから，$a = 4/7$である。一方Bがチャンピオンになるためには，次の対戦でCがAに勝ちそのCに勝つしかなく（確率1/4），その時点でAの立場（つまり，最初の対戦の勝者と同じ立場）になれるのだから，その確率は$b = a/4 = 1/7$だ。またCがチャンピオンになるためには，次の対戦でAに勝つ必要があるが（確率1/2），その時点でAの立場になるから，その確率は$c = a/2 = 2/7$だ。

　aから順次求める以外の方法もある。例えばAは次の対戦でCに勝つとチャンピオンになるが，負けるとBの立場になる。次の対戦でCが勝つとBはCの立場になり，CはAの立場になることを考えると，

$$a = (1 + b)/2, \quad b = c/2, \quad c = a/2$$

という連立方程式が立つので，これを解いても$a = 4/7$，$b = 1/7$，$c = 2/7$が得られる。

　最初に対戦する2人がA，Bのどちらになるかは半々なので，結局，その2人がチャンピオンになる確率はどちらも$(4/7 + 1/7)/2 = 5/14$で，待機していたCがチャンピオンになる確率$2/7 = 4/14$よりわずかに高い。

　ウォーミングアップの次の問題，チャンピオンが決まるまでの延べ対戦回

数の期待値は，確率よりもずっと易しい。3人の場合は，次の対戦，A対C
でAが勝てばチャンピオンが決まるし，Cが勝ってもA，B，Cの立場が入れ
替わるだけで状況は変わらないことを考えると，これから先の何戦目くらい
でチャンピオンが決まるかという数値をrとすれば$r = 1 + r/2$が成り立つか
ら，$r = 2$が求まる。結局，これに最初にA，B，Cが決まるまでの1戦を加
えて対戦回数の期待値は3だ。

　ところが人数が増えると，途端に状況は複雑怪奇となる。しかし，4人く
らいまでなら，方程式アプローチがなんとか現実に取り扱える範囲なのでや
ってみよう。最初の対戦の勝者をA，敗者をB，待機者をC，Dとする。こ
ののちチャンピオンが決まるまでの対戦回数の期待値を$r(1, 0, 0)$としよう。
$(1, 0, 0)$は対戦権を持つ人が3人いて，それぞれが1人，0人，0人を支配
している状況を表している。次の対戦の組み合わせはA対C，A対D，C対D
の3通りがあり，その勝者が誰かでさらに分類すると全部で6通りがあるが，
その結果を整理すると次のような方程式が立つことを読者は確認されたい。

$$r(1, 0, 0) = 1 + r(2, 0)/3 + r(1, 0, 0)/3 + r(1, 1)/3$$

ここで$(2, 0)$は，対戦権を持つ人が2人いてそのうちの1人が他の2人を
支配している状況を表し，$r(2, 0)$はそれから先の何戦目くらいでチャンピ
オンが決まるかの期待値だ。$r(1, 1)$も同様である。また，さらに次の方程
式が成り立つことも納得していただけるだろう。

$$r(1, 1) = 1 + r(2, 0), \quad r(2, 0) = 1 + r(1, 0, 0)/2$$

これらをすべて連立させて解くことで$r(1, 1) = 5$, $r(2, 0) = 4$, $r(1, 0, 0) = 6$
が得られる。

　結局，4人の場合はチャンピオンが決まるまでに平均で$r(0, 0, 0, 0) =$
$1 + r(1, 0, 0) = 7$回くらいの対戦が必要ということになる。

　ポーンたち8人の場合も，方程式アプローチが不可能というわけではない

が，未知数や連立させる方程式の数が多すぎて現実的ではない。そこで別の方法ということになるが，ここは帰納的に予想を立てるのがよさそうだ。2人の場合，明らかに1回でチャンピオンが決まる。1，3，7と来れば，次は15，その次は31になりそうだ。つまりn人の場合，平均$2^{n-1}-1$回くらいの対戦でチャンピオンが決まるという予想が立つ。$n=8$なら$2^7-1=127$回くらいだから，アリスの懸念は当たっているともいないとも言えそうだ。

　実は，この予想は正しいのだが，それをどうやって証明すればよいだろうか。そのための巧妙な手法は次のようなものだ。まず対戦権を持つ人が支配している人数をkとすると，その人に支配力として2^k-1という数を割り当てる。そして対戦権を持つ人全員の合計を考える。対戦権はあるがだれも支配していない人の支配力は$2^0-1=0$なのがミソだ。つまり，最初の段階でのこの支配力合計は0である。

　今，くじ引きによりk人を支配する人Kとl人を支配する人Lとが対戦することになったとしよう。その勝敗結果によって支配力合計は変化する。この2人の支配力合計はこの時点では2^k+2^l-2だが，Kが勝てば$2^{k+1}-1$に，Lが勝てば$2^{l+1}-1$に変化する。どちらが勝つ確率も1/2なのだから，対戦後の2人の支配力合計の期待値は2^k+2^l-1となり，支配力合計は1増えることが期待される。

　これは，どの2人の対戦であっても同じだから，1回の対戦ごとに支配力合計は1ずつ増えると期待される。一方，チャンピオンが決定したということは，その支配下に他の$n-1$人全員が入ったということだから，支配力合計は$2^{n-1}-1$。よって，支配力合計0の状態からその状況に至るには，平均で$2^{n-1}-1$の対戦が必要になる。

　この支配力合計という指標は極めて強力だ。例えば，8人の場合で，途中Aが4人，Bが2人を支配下に置いたとき，あと何回くらいの対戦でチャンピオンが決まるかというようなことも，$2^7-1-(2^4-1)-(2^2-1)=109$と簡単に計算できる。

ハリネズミが描く
三角形

　お茶会3人組は，白の騎士が試作しハートの女王から試験使用を頼まれて
いるハリネズミロボット（第119話，第122話）が妙に気に入ってしまった
らしく，お茶会をそこそこに今日も操作テストだ。今回は，3台を同時に操
作しながら，方向と距離の微妙な調整の練習である。いつものメンバーにチ
ェシャ猫とグリフォンが加わり，動かし方や操作結果の判定にああだこうだ
と議論百出だ。

グリフォンが指示を出す。「まず，正三角形の頂点の位置に3人がそれぞれ立ち，自分の足元に置いたハリネズミを相手の足元に転がし，ピタリと止める練習だ。ヤマネは帽子屋，帽子屋は三月ウサギ，三月ウサギはヤマネを狙ってな。よし，やってみよう」。

3台のハリネズミがコロコロと転がって目標位置で見事に止まると，グリフォンは「おお，ブラボー。すごいじゃないか」と言って，ドヤ顔をしている帽子屋をちらっと見た後，さらに指示を出す。「今度はもっと難しいぞ。各ハリネズミを今の位置から，もう1人のほうへ向けて動かし，正三角形の各辺の中点で止めてみよう。つまり，自分と自分のハリネズミを結ぶ線分が正三角形を2等分するような位置で各自のハリネズミを止めればよい」。

3人組がその課題もうまくクリアすると，「では，こういうのはどうだ。ハリネズミをさらに少しずつ動かし，それぞれが自分と自分のハリネズミを結ぶ線分を描いてみる。これら3本の線分に囲まれる三角形が，元の正三角形の半分の面積を持つ正三角形になるようにするというのは？」

さすがに，この課題には3人組もキョトンである。図を使って課題を厳密に述べると，次のようになる。次ページの図のA，B，Cをヤマネ，帽子屋，三月ウサギの位置とする。また，D，E，Fをそれぞれのハリネズミの位置とする。このときAD，BE，CFの囲む三角形，すなわち図では△RSTが△ABCの半分の面積を持つ正三角形になるようにそれぞれのハリネズミを動かせというのがグリフォンの出した課題だ。読者には，この課題をクリアするために3人組に知恵を貸していただきたい。

△ABCと△RSTが正三角形だから，対称性によりAF＝BD＝CEになることはすぐわかるが，例えばBCを1とするとき，課題をクリアするにはBDをいくつにすればよいだろうか？　実はこの値は簡単な分数にはならないのだが，どのように考えれば求まるだろうか？

　そのためのウォーミングアップとしては，次のような問題を考えてみるのが有用かもしれない。AF：FB＝BD：DC＝CE：EA＝x：1とするとき，BR：RE，CR：RFはどうなるだろうか？

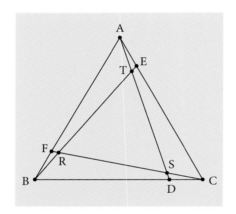

第124話の解答

　まずウォーミングアップの問題から考えよう。この問題は高校数学でもおなじみかもしれない。実は，もっと一般的な設定でも少しも難しくならないので，次のようなセッティングで問題を考えよう。

　ABCを任意の三角形とする。ABを$a:b$に内分する点をF，ACを$c:d$に内分する点をEとし，FCとEBとの交点をRとする（右図）。このとき，RはFCやEBを何対何に内分するだろうか？

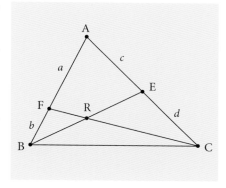

　この問題の解法はいくつもあろう。確実な方法の1つは，例えばAを原点とする座標を割り合てて，E，F，Rの座標をBとCの座標で表現してしまうことだが，求めたいのは長さそのものではなく，その比だから過剰な計算になってしまい，相当に面倒だ。

　たぶん，高校数学で標準的なのは，直交座標を使うのではなく，Aを起点とするベクトルにすべてを帰着させる方法だろう。$\overrightarrow{AE}$，$\overrightarrow{AF}$，$\overrightarrow{AR}$などを$\overrightarrow{AB}$と$\overrightarrow{AC}$で表してしまえば，ベクトルに関する1次方程式を解くことで比は求まるし，座標を直接使うよりは計算も簡単だが，この方法で比を求めるのは読者にお任せしよう。

　結構，便利な方法の1つに「メネラウスの定理」を使うというのがある。ご存じでない読者のために簡単に述べると，この定理は，直線が三角形を横切っている図形で成り立つものだ。例えば，上図ならば△ABEを直線が横切っているとみることができ，その直線は三角形の辺AB，BE，EAやその延長とそれぞれ点F，R，Cで交わっている。このとき，メネラウスの定理は，

$$\frac{AF}{FB} \cdot \frac{BR}{RE} \cdot \frac{EC}{CA} = 1$$

となることを主張している。証明は，ネット検索でいくらでも見つかるだろうから，ここでは省略するが，前ページの図の比をそのまま代入すると，

$$\frac{a}{b} \cdot \frac{BR}{RE} \cdot \frac{d}{c+d} = 1$$

となり，

$$\frac{BR}{RE} = \frac{b(c+d)}{ad}$$

だから，BRとREの比は$b(c+d) : ad$となることが簡単に得られる。

同様に前ページの図で△AFCを直線が横切っているとみれば，

$$\frac{AB}{BF} \cdot \frac{FR}{RC} \cdot \frac{CE}{EA} = 1$$

となり，FRとRCの比は$bc : d(a+b)$であることがわかる。

この方法は計算が極めて簡便という利点があるが，メネラウスの定理を使う対象となる三角形と直線がどれかを見抜かなければならないことと，定理の主張が複雑な形をしていてやや覚えにくいという難点がある。定理の形は，「三角形の頂点，直線と3辺の交点が順繰りに出てくる」形をしているので覚えられないこともないのだが，少なくとも筆者の直感には訴えてくるものがないから，間違えやすく間違えてもそれに気づきにくい。

それと同じくらいに計算は簡単で，直感的にもわかりやすい技法があるので，紹介しよう。ご存じの読者もおられようが，名付ければ「重心法」とでもいうべきもので，バランスが取れるように図の要所要所に質点を置いていこうというものだ。英語の本で「mass point technique」と書いてあるのを

見たことがあるので「質点法」でもよいかもしれない。実は，第103話「展示台の設計」(『ハートの女王とマハラジャの対決　パズルの国のアリス3』)で3次元図形の場合に使ったことがあるのでご記憶の読者がおられるかもしれない。

55ページの図を使って説明しよう。バランスを取るといっても，質点の質量や支点を工夫する必要はある。図でABをシーソーに見立て，Fを支点としてバランスを取るには，AとBに質量比 $b:a$ の質点をそれぞれ置けばよいことは，力のモーメントを計算すれば明らかだろう。別に式を立てる必要もないのだが，この事実を式で表現するために $b\cdot A+a\cdot B=(a+b)\cdot F$ と書くことにしよう。この式はAとBに置かれた2つの質点の重心がFにあるので，そこに質量 $a+b$ の質点があるのと同じにみなせるということを表現している。移項すると $b\cdot A+a\cdot B-(a+b)\cdot F=0$ という式が成り立つ。この式は，「シーソーABをA，Bでそれぞれ下向きに b，a の力で押し，Fで上向きに $a+b$ の力で押すとバランスが取れてシーソーが動かない」という意味に解釈できるので，そのほうが直感に訴えやすいかもしれない。

同様に $d\cdot A+c\cdot C=(c+d)\cdot E$ が成り立つ。ここでAにかかる力を揃えるために，両式を定数倍して，$bd\cdot A+ad\cdot B=(a+b)d\cdot F$，$bd\cdot A+bc\cdot C=(c+d)b\cdot E$ としよう。重心に関わる＋という演算の可換性・結合性を認めれば，これから

$$bc\cdot C+(a+b)d\cdot F=bc\cdot C+(bd\cdot A+ad\cdot B)$$
$$=(bc\cdot C+bd\cdot A)+ad\cdot B$$
$$=(c+d)b\cdot E+ad\cdot B$$

が得られるが，この式は△ABCをシーソーに見立てA，B，Cにそれぞれ bd，ad，bc の力をかけてやれば，その重心はCFとBEの交点（すなわちR）であり，かつその点がCFを $(a+b)d:bc$ に内分し，BEを $(c+d)b:ad$ に

57

内分することを表している。

重心法は，巧妙に使えば（例えば第103話「展示台の設計」）3次元などの諸問題にも応用できる便利な道具だ。また触れる機会もあるだろうから，今回はこれくらいにして問題に戻ろう。

55ページの図において，BF：FA＝AE：EC＝1：xとすると $a＝d＝x$，$b＝c＝1$だから，メネラウスの定理や重心法で求めた比に代入すればCR：RF＝$x^2＋x$：1，BR：RE＝$x＋1$：x^2だ。さらに問題の図では，対称性によりCS＝BR，SF＝REだから，結局SとRはCFを$x＋1$：$x^2－1$：1に3分割することがわかる。同様にT，SもADを（R，TもBEを）同じ比に3分割する。よって

$$\triangle \text{RST}=\frac{x^2-1}{x^2+x}\frac{x^2-1}{x^2}\triangle \text{BDT}$$

$$=\frac{x^2-1}{x^2+x}\frac{x^2-1}{x^2}\frac{x^2}{x^2+x+1}\triangle \text{ABD}$$

$$=\frac{x^2-1}{x^2+x}\frac{x^2-1}{x^2}\frac{x^2}{x^2+x+1}\frac{x}{x+1}\triangle \text{ABC}$$

$$=\frac{(x-1)^2}{x^2+x+1}\triangle \text{ABC}$$

だから，△RSTの面積が△ABCの半分になるには $2(x-1)^2＝x^2＋x＋1$ を解いて，$x＝(5\pm\sqrt{21})/2$ であることが必要だ。符号はどちらをとってもよいが，問題文によれば，FはAよりもBに近いと考えられるので，$x＝(5＋\sqrt{21})/2$ が正解だろう。もしAB＝BC＝CA＝1ならば，AF＝BD＝CE＝$x/(1＋x)$＝$(7＋\sqrt{21})/14$ となる。この位置でハリネズミをピタリと止めるのは3人組の技量に期待しよう。

第125話 | またまた 小切手帳勝負の双子

　トゥィードルダムとトゥィードルディーの双子は，金満家の伯父からしばしばお小遣いをもらえるのだが，伯父の趣味もあり，いつも小切手帳を使った妙な知恵試しの勝負を強いられる。

　今回は，少額の小切手が何枚かつづられた小切手帳3冊と，それとは別に額面不明の小切手1枚を渡された。2人は交互に手を打つのだが，選べる選択肢は次の2通りだ。

（1）3冊の小切手帳をすべて自分のポケットに入れる。その代わり，額面不明の小切手は相手のものになる。

（2）3冊の中に2枚つづり以上の小切手帳がある場合，そのうちの1冊を2冊の小切手帳に分割し，残りの2冊のうちの1冊を自分のポケットに入れて相手に手番を回す。

ジャンケンで先手になったダムはどうしようかと思案中だ。額面不明の小切手がいくらかによって戦略は変わる。額面が小さければ，さっさと（1）を選択するのが得策だ。しかし，伯父がこういう勝負を仕掛けてくる以上，不明小切手の額面は3冊を合計した額と同じかそれよりも多いと考えたほうがよいだろう。そうであれば，（1）を選ばねばならない状況に相手を追い込むのがよい。つまり，3冊をすべて1枚つづりにして相手に手番を回すことだ。そうすれば相手は（2）を選ぶことができない。だが，果たしてどうすればそのような状況が作れるだろうか？

　というわけで，読者にも双子と一緒に，先手のとるべき戦略を考えていただこう。まずはウォーミングアップとして，小切手帳が2冊だけの場合に先手のとるべき戦略を考えていただくのがヒントになるだろう。この場合も，基本的にはルールは同じである。つまり，打つ手の選択肢は，次の2つだ。

（1）2冊の小切手帳をすべて自分のポケットに入れる。その代わり，額面不明の小切手は相手のものになる。
（2）2冊の中に2枚つづり以上の小切手帳がある場合，そのうちの1冊を2冊の小切手帳に分割し，残りの1冊を自分のポケットに入れて相手に手番を回す。

第125話の解答

　今回もウォーミングアップ問題から考えよう。小切手帳が2冊の場合だ。実はこの場合，小切手帳がともに奇数枚つづりであれば，先手番のダムには，相手が間違えない限り額面不明の小切手を獲得する手段はない。なぜなら，ダムがどちらの小切手帳をポケットに入れて他方を2つに分割しようとも，その結果は奇数枚つづりと偶数枚つづりの小切手帳を1つずつ残すことになるからだ。すると，ディーは残ったうちの奇数枚つづりをポケットに入れ，偶数枚つづりの小切手帳を奇数枚つづり2つに分けることができる。このプロセスは，いつまでも繰り返すことができる。最後には1枚つづりの小切手帳2つだけになるから，ダムはその2枚を得て，額面不明の小切手をディーに献上するしかない。

　この結末が見えていれば，伯父からもらった2冊の小切手帳が奇数枚つづりのときにダムがとれる最善策は，不明小切手の額面があまり大きくないことを祈って，早々に2冊の小切手帳をポケットに入れる，つまり(1)を選択することだろう。

　逆に2冊の小切手帳のうち少なくとも一方が偶数枚つづりであれば，ダムは他方を自分のものにし，偶数枚つづりの小切手帳を2つの奇数枚つづりに分けることができる。すると，今度はディーがあまり愉快でない立場に追い込まれ，残った2つの小切手帳を得るだけで満足しなければならないことになろう。

　小切手帳が3冊ある場合，この勝負はいささか面倒な様相を呈するが，まず重要なポイントを押さえておくことにしよう。それは，2冊の場合と同様，伯父からもらった小切手帳のつづり枚数がどれも奇数だと，先手のダムには額面不明の小切手を獲得する手段がないことだ。なぜなら，選択肢の(2)を選んだ場合，この操作の結果は，1冊の偶数枚つづりを除いてあとは奇数枚つづりばかりということになるから，ディーは奇数枚つづりの1つをポケッ

トに入れ，偶数枚つづりの小切手帳を2つの奇数枚つづりに分けることで，すべてを奇数枚つづりの状況に戻すことができる。よって，最後には1枚つづりだけになり，ダムはそれらを得る代わりに，額面不明の小切手を断念せざるを得なくなる。

　逆に奇数枚つづりと偶数枚つづりとがともにある場合，ダムはもう1冊の小切手帳（それが奇数枚であろうと偶数枚であろうと）をポケットに入れ，偶数枚つづりを2つの奇数枚つづりに分けることで，全小切手帳を奇数枚にしてディーに手番を回すことができる。

　やや難しいのは，3冊とも偶数枚つづりの場合だが，この場合は，分割したときに奇数枚つづりを作ると負けだから，3冊の小切手帳の枚数を半分にした場合に帰着させて分析することが可能だ。6枚，2枚，2枚つづりの場合は，半分にするとすべて奇数の3枚，1枚，1枚になる。解析すると，この場合は先手のダムにはうまい手段がないことがわかるのだが，細かい場合分けを繰り返すのも煩わしくなってきたので，この辺で一気に解答を述べてしまおう。ゲームの帰趨を決定するカギとなるのは各小切手帳の枚数の「2進付値」である。

　この言葉が耳慣れないとおっしゃる読者がおられるかもしれないが，これは整数論では基本的な解析手段の1つで，一般にpが素数のときにp進付値が定義される。付値の理論やその応用はかなり広大な分野に広がっているので，関心のある人は適当な教科書を参照していただくとよいが，定義自体は簡単で，整数のp進付値とは，その整数がpで何回割り切れるかということだ。正の整数nは2で割り続けていくといつか奇数になるので，この奇数をaとすると$n = 2^e a$と書ける。このeがnの2進付値であり$v_2(n)$と表記される。特にnが奇数ならば$v_2(n) = 0$だ。

　さて，ダムの手番での3冊の小切手帳のつづり枚数をそれぞれk，l，mとしよう。このとき，ディーが額面不明の小切手を確実に獲得できるための条件は，$v_2(k) = v_2(l) = v_2(m)$である（ダムとディーの立場を入れ替えても

同じ）。どうしてだろうか。

　今，条件が成立しているとして，この共通の付値をeとしよう。$k = 2^e a$，$l = 2^e b$，$m = 2^e c$と書くと，a，b，cは奇数である。ダムが小切手帳のうち1冊をポケットに入れ，1冊を二分したとしても，1冊はそのままである。つまり，その1冊の付値はeのままであるから，操作後も付値の条件が成り立つには，分割してできた2冊の小切手帳の枚数も同じ付値eを持つようにするしかないが，a，b，cがいずれも奇数であることから，これが不可能であることを読者は了解されよう。例えば$k = 2^e a$枚つづりを2つに分けて$2^e a_1$枚と$2^e a_2$枚にできたとすれば，$a = a_1 + a_2$でaは奇数だからa_1かa_2の一方は偶数でなければならない。

　逆に$v_2(k)$，$v_2(l)$，$v_2(m)$ がすべて等しいということはないとしよう。対称性から，必要なら並べ替えて$v_2(k) > v_2(m)$ としてよい。するとダムは，l枚つづりの小切手帳をポケットに入れ，k枚つづりを二分して，それらがともに付値$v_2(m)$ を持つようにできる。最も簡単な分け方はkを$2^{v_2(m)}$と$k - 2^{v_2(m)}$に分けることだ。

　こうして，いったんつづり枚数の付値がどれも等しいという状況になると，そのときの手番の人は，相手が間違えない限り決してその状況から抜け出せない。というわけで，そういう状況になっていたなら，さっさと3冊の小切手帳を自分のものにし，額面不明の小切手をあきらめるのが得策だ。それに，伯父さんは知恵試しを仕掛けてきても，そんなに意地悪ではないので，ゲームの帰趨を正しく見抜けば，ひどく不利なことがないように不明小切手の額面を決めているような気がする。

　小切手帳が4冊以上の場合でも似たようなゲームは成立するが，そのゲームの解析は意欲的な読者にお任せしようと思う。

第126話 アナゴ先生の美術作品

　アリスはグリフォンに誘われて不思議の国で開催されている美術展に来ている。「この美術展には，俺が通っていた学校の先生も作品を出展しているはずなんだけど，どこにあるのかなあ」と懐かしそうに言うグリフォン。アリスは「以前，学校の話を聞いたことがあったような気がするわ」と記憶を手繰るが，なかなか思い出せない。作品を鑑賞しながら会場を進んでいくと，

妙ちくりんな姿の2人組が1枚の絵画を前に談笑しているのが見えてきた。

　一方の姿に見覚えがあったアリスは記憶の底をたどり、「あ、あれは、えーと。そうだ。ニセウミガメさんだわ」。確か、ハートの女王の言いつけで、グリフォンに案内されてニセウミガメの身の上話を聞きに行ったっけ……。そのときに聞かされた話が、海の学校での課目についてだった。

　同様にニセウミガメの姿を認めたグリフォンは「よお、久しぶりだな」と声をかけ、「相変わらず泣いているか?」と軽口をたたいた。しかし、すぐに隣りの人物に気がついて「これはこれは、アナゴ先生。もうお年でしょうからとっくにお亡くなりになったかと思っていましたのに」と失礼極まりない挨拶をし、続ける。「今回の美術展にも作品をお出しになったそうで。今、他の作品を鑑賞しながら探していたところです」。

　アリスは「アナゴ先生」と聞いて、ニセウミガメの身の上話にそのような

恩師が出てきたが、担当教科があまりに奇妙な名称なので何を教えているのかさっぱりわからなかったことを思い出した。どうやら美術系の教科だったらしい。

　アナゴ先生は「この作品じゃよ」と目の前に展示されている白黒の水墨画のような絵を胸鰭で指し示した。グリフォンは「ホー」と感心したが、アリスには何を描いた作品なのかわからない。グリフォンがアリスに言う。「テーマがわからないだろうが、そんなことはどうでもいいんだ。すごいのは技法さ。一見、白、灰色、黒でグラデーションが施されているように見えるだろう?　違うんだ。先生は灰色なんて一切使っていない。キャンバス全体に白い点と黒い点を並べていくことで作品を仕上げていらっしゃるのさ。すごいだろう」。

　アリスにはそのすごさがピンとこなかったが、称

賛されたアナゴ先生は満悦顔だ。ニセウミガメもお追従半分に，「先生は最近，1つの条件を課して作品を作ろうとしていらっしゃるんだ。この作品もそうだけど，今までのどの作品も，よく探すとその中の4つの点の組で，長方形の頂点をなし，しかも4点すべてが同色というものがあるらしい。そこで，そういうことのない作品を作りたいと考えていらっしゃる。つまり，長方形の頂点をなすような同色の4点をキャンバス上から選び出すことができないような作品だ」。

グリフォンはその言葉を聞いてしばらく考えていたが，やがて悲しそうに「先生，どんなに長生きされようと，お気の毒ですが，それは不可能です。それどころか，白と黒以外に，赤，青，緑など何色使って作品を作ろうと，うまく4点を選べば，長方形の頂点をなし，しかもすべて同色という状況が必ず生じてしまいます」。

グリフォンがその理由を説明しようとしたところ，ニセウミガメが「先生，おかわいそうに」と顔を覆って泣き出してしまい，説明を続けるどころでなくなってしまった。読者にはグリフォンの発言の根拠を考えていただこう。

また，アナゴ先生の望みが「ちょうど10cm離れた同色の2点が存在しないような作品を作りたい」というものであったらどうだろう。このような作品は作れるだろうか？　ただし，キャンバスの大きさは1m×1mとする。もしこの課題が不可能だとしたら，色数を増やすことによって課題を達成することはできるだろうか？

第126話の解答

　まず最初の問題であるが，同色の4点が頂点をなす長方形を便宜上「同色長方形」と呼ぶことにしよう。2色に色分けされたキャンバス上には必ず同色長方形が存在するが，このことは英語で「pegionhole principle（PHP）」と呼ばれる原理を2重に使って証明するのが鮮やかだろう。PHPは，日本語では英語の直訳で「鳩の巣原理」と呼ばれることも多いが，「部屋割り論法」というほうが筆者の好みだ。ある人数の人をそれより少ない数の部屋に割り振ると，必ず相部屋ができてしまうという当たり前の事実を述べた法則である。

　まず，キャンバス上に3本の水平線を任意に引く。それらをh_1，h_2，h_3としよう。次に垂直線v_1を引くと，v_1はh_1，h_2，h_3とそれぞれ1点で交わり，その交点の色を順にc_{11}，c_{12}，c_{13}とすると，これらはそれぞれ黒か白のどちらかだから，可能性としては$2^3 = 8$通りがありうる。さらに，垂直線をv_2，……，v_9と増やして9本にすると，垂直線v_iそれぞれが3本の水平線と交わり，その交点の色をc_{i1}，c_{i2}，c_{i3}とすれば，この可能性は8通りしかなく，垂直線は9本あるから，この中には同じものがある。すなわち$1 \leqq i < j \leqq 9$となるiとjで$c_{i1} = c_{j1}$，$c_{i2} = c_{j2}$，$c_{i3} = c_{j3}$を満たすものがある。次にc_{i1}，c_{i2}，c_{i3}について考えると，これらは白か黒のどちらかだから，2つは同色だ。例えば$c_{i1} = c_{i2}$とすると，水平線h_1，h_2と垂直線v_iとv_jの交点が同色長方形を形成する。

　以上の証明は色数が増えても通用することは明白だろう。例えば，色数がn色の場合，キャンバスに引く水平線を$n + 1$本，垂直線を$n^{n+1} + 1$本にするだけで，証明の細部を変えずにほとんどそのままで機能する。

　こうして，アナゴ先生の望みは色数が何色あろうと達成されないことが証明されてしまったが，その望みが「ちょうど10cm離れた同色の2点が存在しないような作品を作りたい」というものだったらどうか？　これも不可能な望みだが，実は，不可能性の証明はずっと簡単だ。キャンバスは1m×1m

だから，その上に1辺が10cmの正三角形を描くのは易しい。その正三角形の3つの頂点の色を考えよう。それは白か黒だから少なくとも2つは同じ色だ。よって，その2頂点が10cm離れた同色の2点を形成し，望みは決して達成されないことがわかる。

　では，色数が増えてもこの望みは不可能だろうか？　不可能な場合でも，それを証明するのは，易しくない。例えば3色の場合，互いに10cm離れた4つの点をキャンバス上に見つけることができれば，PHPによりそのうち2つは同色になるのだが，そのような4点は3次元以上の空間でなければ存在しない。3色で2次元の場合に不可能であることを証明するには，例えば次のようにするのがよいだろう。

　10cm離れた同色の2点が存在しないと仮定しよう。1辺10cmの正三角形を2つ貼り合わせた図❶の左のような菱形ならキャンバス上に描くことができる。仮定より，点A，B，Cはすべて異なる色だ。また，点A，B，Dもそうだ。色は3色しかないのだから，CとDは同色でなければならない。CとDの距離は簡単な計算で$10\sqrt{3}$cmとわかるので，

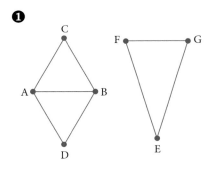

❶

一般に$10\sqrt{3}$cm離れた2点は，図❶の左のような菱形をキャンバス上に描ける場合，同色でなければならない。そこで，次は図❶の右のような二等辺三角形を考えてみる。EFとEGは$10\sqrt{3}$cmでFGは10cmである。先の考察から，EとF，EとGはそれぞれ同色だ。したがってFとGも同色だが，これは10cm離れた同色の2点が存在しないという仮定に矛盾する。

　こうして色数が3色の場合には，図❶の右のような図形が描けるほどにキャンバスが大きければ，10cm離れた同色の2点が必ず存在することが証明できる。では，十分大きいキャンバスであれば，色数がどんなに多くても，

10cm離れた同色の2点が必ず存在するのだろうか？　実はそうではない。

　ちょっと意外に思われる読者も多かろうが，実際，色数が7色あると，ど んなに大きいキャンバスであ っても10cm離れたどの2点も 異なる色を持つように色分け することができる。図❷の ハチの巣のような模様をご覧 いただきたい。各六角形の部屋 の中の数値はそこを特定の色 に塗ることを表している。例 えば，数値0の六角形の部屋

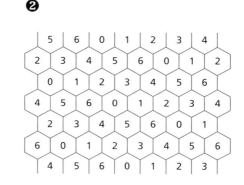

❷

はすべて白，1の部屋はすべて赤で塗るといった具合だ。六角形の頂点や辺 上の点は，それが境界となっている領域のどれかと同じ色に塗る。

　各六角形の1辺の長さを$a$cmとすると，1つの六角形領域の内部あるいは その外周上の点どうしは離れていてもせいぜい$2a$cmである。また，同じ色 に塗る異なる領域の点は，簡単な計算で最低でも$\sqrt{7}a$cm以上離れている ことがわかる。従って，$2a < 10 < \sqrt{7}a$となるようにaを決めて（例えば$a =$ 4.5)，上図のようにキャンバス全体を塗り分けてやれば，互いに10cm離れ た点の対で同じ色を持つものは生じえないことがわかる。

　色数が5色や6色の場合，7色の場合と同様にキャンバスを色分けできる か，あるいは10cm離れた同色の2点が必ずできてしまうかは筆者の知る限 り未解決だ。4色の場合に10cm離れた同色の2点が必ずできてしまうこと が，コンピューターの助けを借りて2018年に証明されたらしいが，これを 紹介するのは筆者の手に余る。読者の研究を期待したい。興味を持たれた読 者は「chromatic number」や「彩色数」という言葉でウェブ検索されると よいだろう。

第127話 モグラ国芸能団と 白の騎士のコラボ

　モグラ国芸能団の団長が鏡の国の白の騎士のところに相談に来た。第104話「モグラ国芸能団によるモグラ叩き芸」で紹介したように，モグラ国芸能団は地面の上に顔を出したり引っ込めたりを瞬時にやる芸を使ったショーを

売りにしている（『ハートの女王とマハラジャの対決　パズルの国のアリス3』参照）。

　しかし，いつもまったく同じショーというのも，それこそ芸がないので，少し変えてみたいというのが団長の意向だ。

　以前のショーの「モグラ叩き」は次のようなものだった。最初，団員のモグラたちはマス目に仕切られた広場の一部に，長方形の形に隙間なく並んで顔を出している。叩き手は連続する3つのマス目で，真ん中と片端のマス目にモグラがそれぞれ顔を出していてもう片端が空いているところを見つけ，その2匹を目がけて2連ハンマーを振り下ろす。すると，2匹は地中にもぐりこみ，3つ目の空マス目に別のモグラが顔をのぞかせる。これを高速で繰り返し，団長のモグラ1匹だけを残す。

　団長はこのモグラ叩きを次のように変えたいと考えている。団員が顔を出しうるマス目が長方形の形に並んでいる（以下「モグラ叩き領域」）。ハンマーは下図のようにヘッドの形が異なる4種類あり（ヘッドを構成する各正方形はマス目と同じ大きさ），叩き手にはそのうちの1種類のみが与えられる。

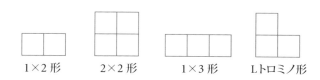

　ハンマーで叩く箇所はヘッド全体がモグラ叩き領域内に収まればどこでもかまわない。以前と同様，ハンマーヘッドが振り下ろされたマス目に顔を出していたモグラは叩かれる前に素早く地面の下に隠れる。だが，ヘッドが空マス目を叩いた場合，ヘッドが上がるや否や叩かれた空マス目すべてにモグラが顔をのぞかせる。これを繰り返して，最終的にすべてのモグラが地面の下に隠れた状態にする。

　だが，何回か練習したところ，最初に顔を出しているモグラの配置によってはこの目標を達成できない場合があることがわかった。どのような配置な

らば目標を達成できるか団長に
はよくわからない。

　団長が悩んでいると，チェス
王室の赤のポーンの1人が，自
分たちのために白の騎士が作っ
てくれた色模様反転装置（右の
イラスト，第63話『色模様反
転装置』，第64話「続・色模様
反転装置」，『数学パズルの迷宮
パズルの国のアリス2』参照）
との類似に気づいて白の騎士に
相談するよう勧めてくれた（そ
ういうわけで団長は白の騎士の
ところに相談に来た）。

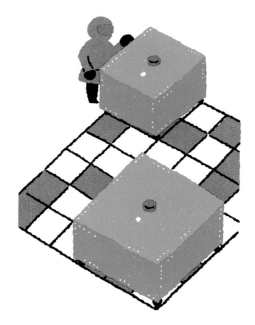

　確かにモグラが顔を出しているマスを赤マス，空マスを白マスと考えれば，
ハンマーを振り下ろす行為は色模様反転装置を使うことと変わらないが，ハ
ンマー（装置）の形が違う。また複数種類のハンマー（装置）を組み合わせ
て使うことはない。

　この辺で，読者にも参加していただこう。まず，ウォーミングアップとし
て，モグラ叩き領域が4×4のマス目で，最初にモグラが右ページの上図の
それぞれのように顔を出しているとき，ハンマーで叩くことによって全員が
地面の下に隠れた状態にすることができるかを，ヘッドの形がそれぞれの場
合について考えてほしい。なお，右ページの図で「も」が書いてあるマス目
が，モグラが顔を出しているマス目であり，空白のマス目は空マス目を示す。
また，どのハンマーも方向を変えて使うことができる。

　もちろん，4つの初期配置の中には与えられたハンマーでは全員を地中に
隠すことができないものがある。そのような配置の中に，1〜2個のマス目
の初期状態を変えることで目標を達成できるものはあるだろうか？

も			も
も			も

も			も
も			も

さらに，モグラ叩き領域が4×4のマス目ではなく一般の長方形の場合に，各ハンマーで目標を達成するには初期配置がどうなっていればよいか，その必要十分条件を考えていただきたい。

第127話の解答

　初期配置図ごとに考えていくよりは，ハンマーヘッドの形に着目して調べていくほうが簡単なようだ。

　その場合，一番扱いやすいのは，実は，Lトロミノ形のヘッドだ。なぜなら，この形は方向を変えて使うことにより，2×2領域内のどの1マスも（他のマスの状況を変化させずに）単独で反転させることができるからだ。例えば，下図の矢印の左のように3回使うと，矢印の右に示した2×2領域の青いマスだけが反転する。

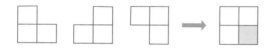

　これは，方向さえ変えれば，2×2領域のどのマスに対しても有効だ。こうしてLトロミノ形のヘッドの場合，モグラ叩き領域が2×2以上のマス目なら，どんな初期配置であっても，1匹ずつモグラを処理していくことで，全モグラを地面の下に隠すことができる。

　次に簡単なのは1×2形のヘッドだ。この場合は，初期配置によっては全モグラを地面の下に隠すことができない。少し考えればわかるように，このヘッドで叩いて状態を変えられるマス目は常に2つだから，最初に顔を出しているモグラが奇数匹であれば，何回叩いても，それが奇数匹という状況は変わらない。当然，顔を出しているモグラが0匹という状況は作り出せない。反対に顔を出しているモグラが偶数匹ならば，うまくやればモグラを2匹ずつ対にして消していくことができる。その2匹のマス目がどんなに離れていようと，隣り合ったマス目を次々と叩いていくことで，その2マスを隣りどうしにすることができるからだ。こうして偶数匹が顔を出しているような初期配置ならば，全モグラを地面下に隠すことができる。つまり，問題で与え

られた初期配置の中では，左から3番目のものだけが，1×2形のヘッドを持つハンマーで目標達成が不可能ということになる。もちろん，このように奇数匹が顔を出しているような初期配置であっても，どこか1マスの初期状況を変えることで，目標達成が可能な図になる。

　次は2×2形のヘッドを考えよう。いささか厄介になるが，基本的な考え方は1×2形の場合に似ている。気がつくべきことは，この形のヘッドで叩くことでは，領域のどの縦列やどの横列をとっても，そこに顔を出しているモグラの数の奇偶性が変わらないということだ。つまり，顔を出しているモグラが奇数匹いるような列が縦横どちらかの方向に存在すれば，その列のモグラ数がゼロになることはない。一方，どの横列と縦列をとっても，顔を出しているモグラが偶数匹であるような初期配置なら，2×2形のヘッドを持つハンマーを用いて目標が達成できることが証明できる。この証明は少し面倒だが，読者にお任せしよう。ポイントは，ハンマーで叩くことで，上の性質を変えないまま，顔を出しているモグラがいる範囲を次第に狭めていけることだ。こうして，問題の図では，一番左の図以外はいずれもモグラが1匹だけ顔を出している列があるので，目標達成が不可能とわかる。また，1マスの初期状態を反転して奇偶性を変えることができるのは，縦横ともたかだか1列ずつだから，奇数匹のモグラが顔を出している列がたくさんあるような場合，1〜2個のマス目の初期状態を変えても目標を達成できない。

　4つのヘッドの中で一番厄介なのは1×3形のヘッドだろう。簡単のため，モグラが配置されている領域はある程度広いものとしよう。この場合には，領域を次ページの図の左のように3色に塗り分けるのが有用だ。ここでは白，赤，青に塗り分けることにし，それぞれ文字W，R，Bで示す。1×3形のヘッドを持つハンマーでは，縦横どちらの方向に叩いても，ヘッドはこの3色のマス目を1つずつ叩くことになる。よって各色のマス目から顔を出しているモグラの数をそれぞれw，r，bとすると，1回叩くごとにこれらの数の奇偶はすべて入れ替わる。従って，もし何回か叩いた結果，全モグラが地面の

W	R	B	W
R	B	W	R
B	W	R	B
W	R	B	W

Y	G	P	Y
P	Y	G	P
G	P	Y	G
Y	G	P	Y

下に隠れたなら，$w = r = b$ $= 0$，つまりすべて偶数になったということだから，初期配置のw，r，bの奇偶性も一致していなければならない。こうして73ページの問題図の左から3番目の初期配置は（w, r, b）＝（3，2，2）で奇偶性が異なっているので，目標は達成できないことがわかる。また，左から2番目の初期配置は（w, r, b）＝（4，0，0）で，どれも偶数だから問題ないようにみえるが，読者もお気づきのように，3色塗り分けは右上がりの対角線だけでなく右下がりの対角線に沿ってもでき，この場合も同じ結論が導かれる。混乱しないように，この塗り分けは黄，緑，紫ですることにし，上図の右のようにY，G，Pで示す。各色のマス目に顔を出しているモグラの数をy，g，pとすると，これらの奇偶性も叩くたびに一斉に入れ替わる。左から2番目の初期配置は（y, g, p）＝（2，1，1）で奇偶性が異なっており，目標は達成できない。

　証明は読者に任せることにしたいが，実は，（w, r, b）がすべて奇数か偶数，かつ（y, g, p）がすべて奇数か偶数であることが目標が達成できるための必要十分条件だ。よって，問題図の両端の初期配置なら目標が達成できる。

　また，領域全体の広さが十分あれば，どんな初期配置であっても，最大2マスの状態を変えることで目標が達成できる。例えば，与えられた初期配置で（w, r, b）＝（奇，奇，偶），（y, g, p）＝（偶，奇，偶）となっている場合，BGマス（上の図左ではB，上の図右ではGとなっているマス目）を見つけてその状態を反転すれば，（w, r, b）はすべて奇数，（y, g, p）はすべて偶数になる。また（w, r, b）＝（奇，奇，偶），（y, g, p）＝（偶，偶，偶）の場合には，WYとRYのマスを1つずつ反転すれば，すべてを偶数にできる。

　ヘッドがテトロミノ形のハンマーも面白いかもしれないが，それを考える

のは読者にお任せしよう。2×2以外のテトロミノには下図のようなものが
ある。一番左のTテトロミノ形のヘッドを使うことは（領域が十分広ければ）
1×2形，つまりドミノヘッドを使うことと同じであることを読者は証明で
きるだろうか？

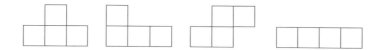

第128話 続・モグラ国芸能団と白の騎士のコラボ

第127話は，モグラ国芸能団の団長がショーを少し変えたいと鏡の国の白の騎士のところに相談に来た話だったが，しばしその続きの話題にお付き合いいただきたい。

　実は，団長には変更案がもう1つあった。この案も基本的には第104話「モグラ国芸能団によるモグラ叩き芸」（『ハートの女王とマハラジャの対決　パズルの国のアリス3』）や第127話「モグラ国芸能団と白の騎士のコラボ」と同じだ。ショーでは，団員のモグラたちが格子状の「モグラ叩き領域」に，最初，あるパターンで配置されている。叩き手がある特定の形のヘッドを持つハンマーで叩くと，叩かれる位置にいたモグラは瞬時に地面の下にもぐり込んで攻撃をかわし，代わりに一部の別の場所にモグラが顔を出す。これを素早く繰り返して，顔を出しているモグラの数やパターンをある特定のものにするというものだ。

　今回の変更案では，叩き手は，ヘッドが右図のように2個の正方形が斜め方向に連なった形のハンマーを使う。そして，モグラ叩き領域中の2×2領域で，斜めに連続する2つのマス目にそれぞれモグラが顔を出していて残り2つのマス目のうち少なくとも1つが空いているところを見つけ，ハンマーでその2匹を叩く。すると，2匹は素早く隠れ，2×2領域中の空マス目の1つに別のモグラが顔を出す。

　ハンマーの形以外は第104話と似ているが，目標は最後に1匹にすることだけではないと団長。モグラ叩き領域は四半平面全体（平面全体の右上1/4）を自由に使うことにし，そこに最初にモグラたちをうまく配置しておく。そしてモグラ叩きを繰り返してモグラたちを次第に左下方向に追い込み，最後に左下隅に1匹（団長）だけが顔を出すようにしたいというのだ。

　初期配置ではモグラ叩き領域の左下エリアをなるべく広く空けておきたいと団長は考えているが，どう配置すれば目標を達成できるかわからない。相談を受けた白の騎士はあれこれ考えてようやく左下隅の2×2マス（次ページの図左で青く塗ったマス目）を空けておく初期配置を見つけたが，

左下をもっと広く空けようとしてもうまい初期配置が思いつかない。鏡の国を代表する知恵者と自任するハンプティ・ダンプティに頼んで一緒に検討したところ，下図中央で青く塗った左下隅の8つのマス目を空けておけるような初期配置は存在しないことがわかった。

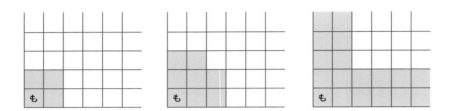

このあたりで読者にも考えていただこう。まずはウォーミングアップとして，上図左で青く塗った4つのマス目を避けてモグラをうまく初期配置し，最後に左下隅の「も」で示したマスだけにモグラが残るようにモグラ叩きを進める手順を考えてほしい。次に本題として，上図中央で青く塗った8つのマス目を避けてモグラを初期配置する場合，どう配置しても決して「も」マスだけにモグラが残るようにモグラ叩きを進めることはできないことを証明してほしい。なお，ハンマーは方向を変えて使うことができる。

さらに余裕がある読者には次の問題はいかがだろう。今度は，ハンマーの形とモグラたちの動きは第104話と同じとする。つまり，ハンマーヘッドは1×2の長方形，叩き手は縦または横に連続する3つのマス目で中央と片端のマス目にモグラが顔を出していてもう片端は空いているところを見つけ，その2匹を目がけて叩く。すると，2匹は地中に隠れ，3つ目の空マス目に別の1匹が顔を出すというものだ。この場合には相当に自由がきき，上図中央で青く塗った8つのマス目を避けてモグラたちをうまく初期配置し，最後に左下隅に団長だけが顔を出すような手順を考えるのはそう難しくない。しかしこの場合でも，左と下の2行（上図右で青く塗った領域）を避けた初期配置からでは目標を達成できないことを読者は証明できるだろうか？

第128話の解答

　まずウォーミングアップ問題から考えよう。この種の手順を設計するには
ゴールの状態から逆方向に考えていくのが，やりやすいようだ。最終的には
左下隅のマス以外にはモグラが姿を消すようにするのだから，その1ステッ
プ前の状態は下図左のようになっているほかはない。「も」のマスがモグラ
が顔を出しているマスで，空白は空きマスを示す。さらにその前の状態はい
くつか考えられるが，なるべく左下が空くようにするなら下図中央が有望そ
うだ。こうして順次考えていけば，そう難しくもなく（左下の2×2マスが
空いた）下図右にたどり着ける。それを初期配置として，考えてきた順を逆
にたどれば，モグラを左下隅1匹だけにする手順が得られる。その作業は読
者にお任せしよう。

　しかし，これ以上に左下隅の空き領域を広げるのは容易ではない。1ステッ
プ戻すごとに，顔を出しているモグラの数は1匹ずつ増え，図の右上方向
に次第に形成されていくモグラマスの厚みが邪魔になるからだ。もう1つや
2つなら空きマスを左下に加えることができるかもしれないが，問題の図中
央のような8マスからなる空きマスの塊を左下に作ることは実は不可能であ
り，それを証明するのが本題である。

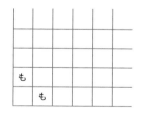 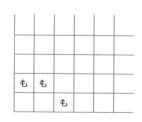 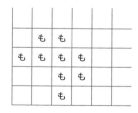

　この種の証明には，何らかの不変量を見つけるのが数学での常套手段だ。
そのアイデアを得るために，次ページの上図のように，モグラ叩き領域の各
マス目に正の整数を割り当てることにしよう。左下隅のマス目を0とし，右

または上に行くごとに1ずつ値を増やしていく。

　さて、1回のモグラ叩きでは、次のいずれかが起こる。

3	4	5	6	7
2	3	4	5	6
1	2	3	4	5
0	1	2	3	4

（1）nのマスの2匹が隠れ、$n-1$のマスに新たにモグラが顔を出す。

（2）nのマスの2匹が隠れ、$n+1$のマスに新たにモグラが顔を出す。

（3）$n-1$のマスと$n+1$のマスの計2匹が隠れ、nのマスに新たにモグラが顔を出す。

　今、あるモグラ配置において、nのマスにモグラが顔を出しているとき、そのマスの重みを$1/2^n$と定義し、それらのマスの重みの合計をそのモグラ配置の重みとしよう。

　モグラ叩きが進行するとモグラ配置の重みは変化するが、少し考えればわかるように、上の変化のうち（1）では重みが変わらないが、（2）や（3）では重みは減少する。つまり、モグラ叩きの進行中、モグラ配置の重みは決して増加しない。このことが重要だ。

　目標に達した状態でのモグラ配置の重みはもちろん$1/2^0 = 1$だ。一方、（無限に広がる）全部のマス目にモグラがいる場合のモグラ配置の重みはいくつだろうか？　モグラは無限匹いても、配置の重みは無限ではない。最下行の分だけの重みの合計は、よく知られているように

$$1 + 1/2 + 1/4 + \cdots + 1/2^n + \cdots = 2$$

だ。同様にその1つ上の行の分の合計は1、さらにその上は1/2と計算していくと、結局、すべての行の合計ということで、全部のマス目にモグラがいる配置の重みは

$$2 + 1 + 1/2 + 1/4 + \cdots + 1/2^n + \cdots = 4$$

ということになる。

　従って，問題の図中央のように左下の8つのマスを空けねばならないとしたら，（無限個ある）他のすべてのマスにモグラが顔を出していたとしても，その配置の重みは

$$4 - (1 + 1/2 + 1/2 + 1/4 + 1/4 + 1/4 + 1/8 + 1/8) = 1$$

にしかならない。従って，左下の8つのマスを避けた有限配置はどんなものでもその重みは1未満である。一方，目標配置の重みは1であり，モグラ叩きが進行しても重みが増加することはないのだから，左下の8つのマスを避けた配置から目標配置に達することはありえない。

　最後に1×2形のヘッドで叩く場合を検討しよう。この場合，問題の図の中央，8マスを空けた配置から始めても，左下隅に1匹だけを残すことが比較的簡単にできる。例えば右図から始めればよい。どのようにモグラ叩きを進めるとうまくいくかを確認するのは読者にお任せしよう。左下隅の3×3のエリアを空けることすらできる。

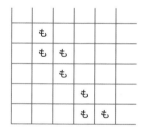

　だが，問題の図右のように左と下の2行ずつを空けたどんな配置からも目標状態に達することはできない。どうしてだろうか？　今度の場合，1回のモグラ叩きでは，次のいずれかが起こる。

（1）$n-1$のマスとnのマスの計2匹が隠れ，$n+1$のマスに新たにモグラが顔を出す。

（2）$n+1$のマスとnのマスの計2匹が隠れ，$n-1$のマスに新たにモグラが顔を出す。

ここではnのマスにモグラが顔を出しているとき，そのマスの重みをϕ^{-n}と定義しよう。ただし，$\phi = (1+\sqrt{5})/2$，すなわちϕはいわゆる黄金比で$\phi^2 = \phi + 1$を満たす。また，モグラ配置全体の重みは各マスの重みの合計とする。

今度もモグラ叩きが進行すると，モグラ配置の重みは変化するが，（1）では重みが減少し，（2）では重みは変わらないことを確認されたい。よって，やはりモグラ叩きの進行中，モグラ配置の重みは決して増加することはない。

目標に達した状態でのモグラ配置の重みはもちろん$\phi^0 = 1$だ。一方，問題の図右の（左と下の2行を除いた）全部のマス目にモグラがいる場合のモグラ配置の重みはいくつだろうか？　下から3行目の分だけの重みの合計は

$$\phi^{-4} + \phi^{-5} + \cdots + \phi^{-n} + \cdots = \frac{\phi^{-4}}{1 - \phi^{-1}} = \phi^{-2}$$

だ。同様にその1つ上の行の分の合計はϕ^{-3}，さらにその上はϕ^{-4}と計算していくと，結局，問題の図右の全部のマス目にモグラがいる配置の重みは

$$\phi^{-2} + \phi^{-3} + \cdots + \phi^{-n} + \cdots = 1$$

ということになる。従って左と下の2行を避けた有限配置はどんなものでもその重みは1未満だから，その状態から目標配置に達することはありえない。

第129話 大部屋と１人部屋どっちが好き？

　ヤマネの7匹の姪たちがペットを飼い始めたという話がアリスの耳に届いた。「ヤマネなんて，人間から見ればペットみたいなものなのに……ペットがペットを飼うなんて，なんか変だわ」と思ったが，不思議の国が奇妙なのには慣れっこになっている。それに持ち前の好奇心には勝てないので，すぐにヤマネの姪たちを訪ねた。姪たちはペットの世話とその観察に余念がない。

　「あら，アリスさん，早速いらっしゃったわね」とサンデイがアリスに気づいて言う。「お目当てはペットでしょ？　でも，アリスさんには初対面ではないの。だって，王宮内の花園にいた蟻ん子たちとその子孫ですもの。ほら，このビンの中を見て」。

大きなビンの中で飼われているのは，確かにアリスが見たことのある蟻たちだ〔今回の問題とは直接の関係はないが，関心のある読者は第111話「寂しがり屋の蟻たち」（『ハートの女王とマハラジャの対決　パズルの国のアリス3』）をご覧いただきたい〕。ビンの側面を覆っている黒い紙を少しはがすと，巣の中の様子がわかる。

　マンデイが寄ってきて説明に加わる。「花園のときも奇妙だったけど，巣の中でも面白い動きをするのよ」と数十匹の蟻をすくい上げて別のビンの中の巣内に放した。巣には複数の部屋があり，蟻たちはとりあえずどこかの部屋の中にもぐり込んだ。「ここからが面白いのよ」とマンデイ。

　見ていると，1分ほどして1匹の蟻が部屋から出てきた。そして，他の部屋の様子をキョロキョロと見回し，やがて仲間がいる別の部屋に移動した。さらにまた1分ほどすると，別の1匹が同じように部屋を移動した。「ね，このように蟻たちは引っ越しを繰り返すんだけど，寂しがり屋の習性はこのときも発揮されるみたいなのよ。だって，自分が前にいた部屋よりも住人の少ない部屋には決して行かないんだから。自分のいた部屋の人数がほかのどの部屋の人数よりも多いなら，仕方なく元の部屋に戻るのよ」とマンデイ。

　まず，ウォーミングアップ問題だ。当たり前のようではあるが，こうして引っ越しを繰り返していくと，やがて全員が同じ部屋に集まってしまうことを証明していただきたい。もちろん自分が直前にいた部屋に戻るような場合は引っ越しには数えない。さらに，もし蟻が全部で21匹いて，最初6つの部屋に1匹，2匹，3匹，4匹，5匹，6匹と分かれていたとしたら，最大でも延べ35回の引っ越しの後には全員が1つの部屋に集まっていることを証明できるだろうか？

　さて，サタデイが飼育室の別のコーナーから「こっちの蟻も面白いわよ」とアリスを呼んだ。サタデイの近くにある飼育ビンの中にいる蟻は偶然に交じった別種か突然変異種らしいという。「どうしてかって？　まず巣の作り方が違うの。巣は部屋を円形につなげて作るのよ。しかも，あっちの寂しがり屋と違って，こっちは孤独好きみたい。蟻たちを適当に分けて部屋にいれ

るでしょ。こういうふうに」。

　1分ほどたつと，今度は同じ部屋にいた2匹がその部屋を離れてそれぞれ左右の両隣の部屋に引っ越した。ほぼ1分ごとにこれが繰り返され，2匹以上の蟻がいる部屋から，その両隣の部屋に蟻が1匹ずつ移動するという。「このように移動を繰り返して全員が1人部屋になると落ち着くのだけど，そうでないといつまでも続くのよ」。

　今，巣には円形につながった部屋が20室あるとしよう。そこに21匹の孤独好きの蟻をでたらめにいれる。この場合，全員が1人部屋になることは決してないから，蟻たちがいつまでも引っ越しを繰り返すことは明らかだが，最初に蟻をどういれても，空き部屋が9室以下になるということが必ず起こることを証明していただきたい。ただし，2つ以上の部屋からそれぞれ2匹の蟻が同時に移動することはないものとする。

第129話の解答

ウォーミングアップの問題は，当たり前すぎてどう手をつければよいかかえってわかりにくいかもしれない。しかし，「あるプロセスの繰り返しが永遠には続かない」というこの手の停止性問題の証明には，状況に付随して単調に変化していく量をうまく取り出し，その量がある限界を超えて減ったり増えたりしないことを示すのが有効だ。この問題に使える量としてはいろいろなものが考えられるが，まずは各部屋の住人数の平方和がわかりやすそうだ。蟻の巣に部屋がk個あるとして，各部屋の住人数をn_1, n_2, $\cdots$, n_kとするとき

$$S = n_1{}^2 + n_2{}^2 + \cdots + n_k{}^2$$

という量である。i番目の部屋からj番目の部屋に蟻が引っ越すための条件は$n_j \geqq n_i$であり，引っ越し後のi番目とj番目の部屋の住人数はそれぞれ$n_i - 1$と$n_j + 1$になる。従って，上のSの値は，この2つの部屋に関しては$n_i{}^2 + n_j{}^2$が

$$(n_i - 1)^2 + (n_j + 1)^2 = n_i{}^2 + n_j{}^2 + 2(n_j - n_i) + 2$$

に変わる。$n_j \geqq n_i$だから，引っ越し後のSの値は必ず大きくなるのがポイントだ。全員が同じ部屋に入ったときにSの値は最大になり，それ以上は大きくなれないから，この時点でプロセスは終了する。

しかし，次の問題を解くために使うにはSは大雑把すぎるようだ。それでもまったく役に立たないわけではなく，問題の21匹の蟻の場合に適用すると，Sは最初の状況では$1^2 + 2^2 + 3^2 + 4^2 + 5^2 + 6^2 = 91$だったのが，全部の蟻が1つの部屋に集まることで$21^2 = 441$に変わることがわかる。先に見たように，$S$は1回の引っ越しで最低でも2増えるから，せいぜい$(441 - 91)/2 = 175$回の引っ越しで全員が1つの部屋に集まることくらいはわかる。

ところが，問題文の35回というのはそのわずか1/5であり，これを証明するにはもっと繊細な量が必要だ。その量を作るために，部屋の番号を住人の多い順に付け替えてしまおう。つまり，$n_1 \geqq n_2 \geqq \cdots \geqq n_k$とするのだ。そして，各蟻に自分がいる部屋の番号よりも1だけ小さい重みを持たせ，その重みの合計をTとする。つまり

$$T = 0 \cdot n_1 + 1 \cdot n_2 + 2 \cdot n_3 + \cdots + (k-1) \cdot n_k$$

である。もし全部の蟻が1番の部屋にいるなら$T = 0$だ。

　この量Tの特徴は，住人数の同じ部屋がいくつかあるとき，それらの間で番号を付け替えてもTの値は変化を受けないことだ。引っ越しによって住人が減る部屋と増える部屋が生じるが，引っ越し前のそれらの部屋と同じ住人数の部屋がほかにある場合，引っ越し前に番号を付け替え，住人が減る部屋については同じ住人数の中で最大の番号を持つように，住人が増える部屋については最小の番号を持つようにしておく。このように付け替えても引っ越し前のTの値は変化しない。また，この付け替えによって，引っ越し後も各部屋の住人数は番号順に広義減少するようになり，かつ，引っ越しによって必ずTの値が減少するようになる。なぜなら，こうすると引っ越しは必ず大きな番号の部屋から小さな番号の部屋への移動になるので，引っ越しした蟻の重みは必ず減るからである。すると，重み合計Tは最初$0 \cdot n_1 + 1 \cdot n_2 + 2 \cdot n_3 + \cdots + (k-1) \cdot n_k$の状態から始まり，1回の引っ越しごとに最低でも1減るのだから，せいぜい$0 \cdot n_1 + 1 \cdot n_2 + 2 \cdot n_3 + \cdots + (k-1) \cdot n_k$回の引っ越し後には0になる。元の問題では$T$は最初$0 \cdot 6 + 1 \cdot 5 + 2 \cdot 4 + 3 \cdot 3 + 4 \cdot 2 + 5 \cdot 1 = 35$だから，どのような手順でもせいぜい35回の引っ越しで全員が1つの部屋に集まるといえる。

　もちろん，35回よりも少ない引っ越し回数で全員が1つの部屋に集まることもあるが，住人数の同じ部屋がたくさんある例外的な場合を除き，1回の引っ越しではTが1しか減らないような手順が存在するから，引っ越し回数

の上界はこれ以上には大きく下がらない。特に各部屋の住人数が異なり $n_1 > n_2 > \cdots > n_k$ となっている場合，全員が1つの部屋に集まるまでにちょうど $0 \cdot n_1 + 1 \cdot n_2 + 2 \cdot n_3 + \cdots + (k-1) \cdot n_k$ 回の引っ越しを行うような手順が存在する。各自考えてほしい。

　孤独好きの蟻の問題をいきなり証明するのは，少なくとも筆者には難しく思われるので，段階を踏んで進めよう。

　まず，どの部屋にもいつかは住人が生じることを証明しよう。もしいつまでも蟻が住み着かない部屋があったとして，それをRとしよう。Rの右隣の部屋に－9という番号を振り，以下右回りに－8，－7，…という番号を振っていくと部屋は円形につながっているのだから，9番が最後になって，またRに戻る。そこで各蟻に自分がいる部屋番号の2乗という重みを持たせ，全蟻の重みの合計を S とする。部屋Rには決して蟻が住み着かないという仮定だったので，9番あるいは－9番に蟻が2匹以上いて，そこから両隣に引っ越すということはない。つまり，引っ越しはいつも－8番から8番の部屋で起こる。n 番の部屋の2匹が $n-1$ 番と $n+1$ 番の部屋に引っ越すとき，S の値は，引っ越しをした2匹の蟻に関しては $2n^2$ から $(n-1)^2 + (n+1)^2 = 2n^2 + 2$ に変わるから，必ずちょうど2だけ増加する。つまり，引っ越しが9番か－9番の部屋で起こらない限り S は2ずつ増加し続けることになるが，蟻は21匹で，部屋番号は－9から9までしかないのだから矛盾する。

　これでどの部屋にもやがては蟻がやって来ることが示された。次に隣り合う2部屋（仮に R_1 と R_2 と呼ぶ）について考えよう。先に見たように R_1 にも必ず蟻はやって来る。次に気がつくべきは，それ以後，R_1 と R_2 のどちらにも蟻がいないということは決して起こらないということだ。なぜなら，R_1 から蟻がいなくなるということは，R_1 の蟻が2匹になり，それが両隣に引っ越した場合だけだから，必ず R_2 に蟻がいる。R_2 から蟻がいなくなる場合も同様だ。

　こうして，しばらく時間がたった後は，隣り合う2つの部屋のどちらかに

は必ず蟻がいることになる。そうなっても，空き部屋が10室以上あったとしたら，部屋数は全部で20なのだから，空き部屋とそうでない部屋が10室ずつ交互に並んでいるしかない。次の引っ越しは，空き部屋でないどこかで起こる。その部屋自身は空き部屋になる可能性があるが，両隣の空き部屋が消えるので，空き部屋数は必ず9以下になる。

第130話 | くじ引きによる景品分配

　アリスがイモムシ探偵局にいると，例のマハラジャ出身と噂されるお大尽がやって来た。いつの頃からか不思議の国と鏡の国の合同演芸会で景品や賞金を提供することが恒例となっているが，今日はその提供方法についての相談らしい。

　お大尽は「演芸会で芸を披露する参加者たちはみな芸達者なので，今回も景品などが薄く広く行き渡るようにしようと思っているのだが，一応は順位をつけるのだから，まったく平等に与えるというのは面白くないし，参加者

の芸に対するモチベーションも上がらない。かといって，単純に順位に従って賞金額が上がるというのもありふれていてつまらん」と言う。「そこで，こういう趣向を考えた。ともかく芸の良しあしで順位はつけるが，その結果が景品や賞金に直結するのではなく，結果発表後にくじ引きを行う。当たる確率が順位に従って下がっていくというくじだ。1位になったからといって当たるとは限らんし，入賞しなくても当たる可能性があるから，もうひと盛り上がりできるという趣向じゃ。どうかの？」

「そのようなくじを考案してほしいというのが，今回の相談ですか？」と助手のグリフォン。

「そうじゃ，察しがいいのう。話が早い。わしとしては，入賞しなかった参加者が当たる確率を基準として最下位入賞者が当たる確率はその2倍，そのすぐ上の入賞者が当たる確率は3倍という具合に，順位が1つ上がるごとに当たる確率が入賞外の者を基準にして1倍ずつ増えていくようにできるとよいと思っている。例えば，20位までが入賞なら，1位の人は入賞外の者の21倍当たりやすいという具合じゃ」

「なんだ，簡単ではないか」と局長のイモムシが口を挟む。「壺の中に各順位を書いたボールを入れ，誰かに目をつむってその壺からボールを取り出してもらう。そのボールに書かれている順位の人が当たりとすればよい。当たる確率をお大尽の希望通りにするには，例えば20位までが入賞なら，1位のボールは21個，あとは順位が下がるごとに1つずつ減らして20位のボールは2個とする。さらに，入賞外の人たちのボールを1個ずつ入れておけばよい」。

「おお，なるほど」とお大尽。「ボールをたくさん用意しないとならんことと，景品がたくさんあるのでくじ引きを何度もしなければならんことが面倒だが，なかなかよいアイデアじゃ」。

それを聞いていたアリスが言う。「もっと簡単な方法もあるわよ。入賞が20位までならボールは21個あればいいわ。ボールには1から21までの番号が書かれてあって，取り出したボールの番号以下の順位の人はみな当たりっ

ていうのはどうかしら。21の場合は参加者全員が当たりよ」。

「おお，それも面白い。賞金や景品をまとめて配れるのも面倒がなくてよい。しかし，その方法だと1位の人はいつも当たりになるし，下位の人が上位の人よりも多くの景品を受け取ることが決してない。うーむ，ちとくじ引きの精神に反するかもしれないのう」とお大尽。

その後もいろいろとアイデアが出た。結局，最初のイモムシのアイデアが簡単でよいということに決し，景品が多い分は，その数だけまとめてボールを取り出せばよいことになった。

ところで，この相談中にグリフォンが次のような妙な案を出した。「まず参加者全員に番号を振る。入賞外の人は全員1，最下位入賞者は2，n位まででを入賞として1位は$n+1$という具合だ。そして同じように壺からボールを取り出すのだが，そのボールの番号が自分に振られた番号を割り切る場合に当たりというのはどうだろう？　例えば，20番の人は1，2，4，5，10，20のボールが出ると当たりだ」。

「えっ」とアリス。「それで要求を満たすようにできるんですか？　2番の人は1番の人よりも2倍当たりやすく，3番の人は3倍当たりやすいというふうに」。

「壺の中に入れる各番号のボールの数をうまく調節すれば，大丈夫だよ」とグリフォンは言ったが，それは本当だろうか？　今月の問題は，このグリフォン案に関するものだ。グリフォンの言葉が事実とすれば，壺の中に入れる1番のボールを1個としたとき2番のボールはいくつ入れる必要があるだろうか？　3番，4番のボールはどうだろう。一般にn番のボールはいくつ入れる必要があるかを簡単な式で書けるだろうか？

第130話の解答

　グリフォン案の当たり条件は奇妙で，ちょっと聞いただけではわかりにくい。しかし，1番のボールを1個とすると，どの番号のボールも正の整数個を入れることで目的が達成できるのだ。そのことを納得するには，順次考えていくのがわかりやすいだろう。

　n番のボールの個数を$B(n)$としよう。$B(1)=1$のとき$B(2)$はいくつだろうか。2番の人が当たる条件は1番か2番のボールが取り出されることだから，$B(1)+B(2)$が$B(1)$の2倍であればよい。つまり，$B(1)+B(2)=2B(1)$だから$B(2)=1$となる。$B(3)$も同様に考えると，$B(1)+B(3)=3B(1)$より$B(3)=2$だとわかる。さらに$B(1)+B(2)+B(4)=4B(1)$より$B(4)=2$だ。

　一般には

$$\sum_{k \mid n} B(k) = n$$

が成り立つ。ここで$k \mid n$はkがnを割り切ることを表す記号である。つまり，左辺は，nを割り切るすべての正整数k（つまりnの約数k）にわたって$B(k)$の総和を取ることを意味する。この式より，$B(n)$は帰納的に

$$B(n) = n - \sum_{k \mid n, \, k < n} B(k)$$

と計算でき，先述のように次々と値が求められる。読者には

$$B(5)=4, \quad B(6)=2, \quad B(7)=6,$$
$$B(8)=4, \quad B(9)=6, \quad B(10)=4$$

を確かめたうえで，さらに先，例えば $B(20)$ くらいまで求めていただきたい。だが，これらの値から一般の n について $B(n)$ がどう表されるかを予測するのは簡単ではあるまい。n との関係式から $B(n)$ が整数になることは自明だろうが，n 以下の正の数になるということすらそれほど明らかではない。

　まず，n が素数 p のべき，すなわち正の整数 e によって $n = p^e$ と書ける場合に

$$B(n) = p^e - p^{e-1} = p^e \left(1 - \frac{1}{p} \right)$$

となることを指数 e に関する数学的帰納法で示そう。p は素数だから，$e = 1$ のとき，$p^1 = p$ の約数は 1 と p だけである。したがって，$B(n)$ の計算式より，確かに $B(p^1) = p^1 - 1 = p^1 - p^0$ となる。$e > 1$ のときは，p^e の約数は p^0, p^1, p^2, $\cdots$, p^{e-1}, p^e がそのすべてだが，帰納法の仮定と $B(n)$ の計算式より

$$\begin{aligned}
B(p^e) &= p^e - (B(p^0) + B(p^1) + B(p^2) + \cdots + B(p^{e-1})) \\
&= p^e - \{1 + (p-1) + (p^2 - p) + \cdots + (p^{e-1} - p^{e-2})\} \\
&= p^e - p^{e-1}
\end{aligned}$$

である。

　さて，一般の自然数 n について $B(n)$ はどう書けるだろうか？　そのためには B の乗法性に気がつくことがポイントだ。自然数を定義域とする関数は「数論的関数」と呼ばれるが，そのような関数 f が乗法性を持つとは，互いに素な任意の m と n について $f(mn) = f(m) f(n)$ が成り立つこととして定義される。各素数のべきは明らかに互いに素であるから，B が乗法性を持つならば，n の素因数分解を $n = p_1^{e_1} p_2^{e_2} \cdots p_r^{e_r}$ として，$B(n)$ は

$$\begin{aligned}
B(n) &= B(p_1^{e_1}) B(p_2^{e_2}) \cdots B(p_r^{e_r}) \\
&= (p_1^{e_1} - p_1^{e_1 - 1})(p_2^{e_2} - p_2^{e_2 - 1}) \cdots (p_r^{e_r} - p_r^{e_r - 1})
\end{aligned}$$

$$= n \left(1 - \frac{1}{p_1} \right) \left(1 - \frac{1}{p_2} \right) \cdots \left(1 - \frac{1}{p_r} \right)$$

と書けることがわかる。

そこで B の乗法性を示そう。すなわち m と n が互いに素なとき $B(mn) = B(m)B(n)$ であることだ。証明は帰納法による。$mn = 1$, すなわち $m = n = 1$ のときは，定義より $B(1) = 1 = B(1)B(1)$ だから成り立つ。一般の mn の場合，n と $B(n)$ の関係より

$$mn = \sum_{b \mid m} B(b) \sum_{c \mid n} B(c) = B(m)B(n) + \sum_{b \mid m, \, c \mid n, \, bc < mn} B(b)B(c)$$

である。一方，$mn = \sum_{d \mid mn} B(d)$ でもある。m と n が互いに素であることから，mn の約数 d は常に m の約数 b と n の約数 c に一意に分解されて $d = bc$ と書け，このとき b と c は互いに素である。したがって帰納法の仮定より

$$mn = B(mn) + \sum_{d \mid mn, \, d < mn} B(d) = B(mn) + \sum_{b \mid m, \, c \mid n, \, bc < mn} B(bc)$$
$$= B(mn) + \sum_{b \mid m, \, c \mid n, \, bc < mn} B(b)B(c)$$

となり，$B(m)B(n) = B(mn)$ が導かれる。

実は，関数 B は，数論に詳しい人には馴染みのものだ。数列 $B(1)$，$B(2)$，$B(3)$，…や $B(n)$ の一般的表記を見て，そのことにお気づきになった読者もおられるだろう。オイラー（Leonhard Euler）が 1761 年に発見した「ϕ 関数」とか「トーシェント関数」とか呼ばれるものである。n と互いに素な n 未満の自然数の個数を $\phi(n)$ という記号で表記したのがその最初とされているが，ウィキペディアによれば江戸時代の将棋指しで和算家の久留島義太（くるしま・よしひろ）がその数年前に言及しているらしい。定義だけ

からは，$B(n)$ が $\phi(n)$ に等しいことはそれほど明らかではないが，しかるべき数論の教科書を参照すれば，$\phi(n)$ が上述の $B(n)$ と同じ形の表記を持つことがわかるだろう。

第131話 双子への 新しい協力課題

　　双子のトウィードルダムとトウィードルディーはいつも喧嘩ばかりしているので，金満家の伯父は2人に協力することを学ばせようと，小遣いの与え方の工夫に苦労が絶えない。

　　今回の与え方は次のように決めた。小遣いは銀貨を隔週で交互に与える。最初の週はダムに，翌週はディーに，翌々週はダムに，……という具合だ。与える枚数は，最初の週は50枚以下の奇数枚なら好きな枚数をダム自身が選べることにする。翌週はディーの番だが，このときも50枚以下の奇数枚ならディーが選んだ好きな枚数を与える。ただし条件があって，ディーは最

99

初の週にダムが選んだ枚数と同じ枚数を選ぶことはできない。翌々週以降は，次のようにして自動的に定まる枚数の銀貨を与える。ある週に与える枚数は，その前の週に一方に与えた枚数をa，前々週に他方に与えた枚数をbとして，$a+b$を割り切る最大の奇数だ。

　例えば，ダムもディーも最初に欲張って許される最大の枚数を選んだとしよう。つまり，ダムは最初の週に49枚，ディーは翌週に47枚を選んだとする。このとき，翌々週にダムがもらえる額は$49+47=96$を割り切る最大の奇数である3枚だ。すると4週目にディーがもらえる額は$47+3=50$を割り切る最大奇数の25枚だ。よって，伯父が与える小遣いの額は

　　49，47，3，25，7，1，1，1，…

と変化していき，最終的には2人の小遣いはともに2週間に銀貨1枚だけになってしまう。

　そこで，ダムとディーが最初にもらう銀貨の枚数をそれぞれどう選ぶのがよいか，読者の知恵を拝借したい。まず，2人が最初にもらう枚数をどう決めようとも，やがては2人とも同額の一定枚数をもらうことになることを証明していただこう。つまり，2人がもらう額は，初めのうちはまちまちであっても，やがて一定値に落ち着くから，この値をなるべく大きくするのが双方にとって得策になる。そして次には，この一定値をなるべく大きくするために，選ぶべきダムの1週目の額とディーの2週目の額についてアドバイスをいただきたい。

第131話の解答

ダムの1週目の要求額をS_1，ディーの2週目の要求額をS_2としよう。一般にn（$n \geqq 3$）週目に2人のどちらかがもらえる額S_nは$S_{n-1} + S_{n-2}$を割り切る最大の奇数だ。

まず，nが十分に大きくなればS_nは一定値に落ち着くことを示そう。これまで何度も見てきたように，その種のことを証明する標準的な手段は，状況に付随して一方向にのみ変化する量を見つけ，それがある限界を超えて変化することがないことを示すことだ。上のS_nの場合，最初に注意しておくべきことは任意のn（$\geqq 3$）において$S_{n-1} + S_{n-2}$は偶数だから

$$S_n \leqq \frac{S_{n-1} + S_{n-2}}{2} \leqq \max\{S_{n-1,}\ S_{n-2}\}$$

だということだ。だから，数列$\{S_n\}$は単調に減少するわけではないが，問題の例でも見たように，だいたい減少傾向にある。だから，ある非負整数が存在してそれよりは小さくなれなくなるだろうということは容易に想像できるが，そのことは必ずしもS_nが一定値になることを意味しないし，そもそも上の式は，直接，広義減少列を定義しているわけでもない。だが，少し考えると$S_{n-1} \leqq \max\{S_{n-1},\ S_{n-2}\}$はいつでも成立するのだから

$$\max\{S_n,\ S_{n-1}\} \leqq \max\{S_{n-1},\ S_{n-2}\}$$

となり，$\max\{S_n,\ S_{n-1}\}$がnに関して広義減少になることに気がつく。定義により$S_n \geqq 1$だから，この量がいつまでも小さくなり続けることはできず，あるnと定数$S \geqq 1$が存在して

$$1 \leqq S = \max\{S_{n+1},\ S_n\}\ = \max\{S_{n+2},\ S_{n+1}\}\ = \max\{S_{n+3},\ S_{n+2}\} = \cdots$$

である。したがってS_{n+1}とS_nのうち少なくとも一方はSであるが、$S_n = S$としてよい（なぜなら、そうでない場合、$\max\{S_{n+2},\ S_{n+1}\} = S$でもあるから、$n$を1つ先に進めればよいからだ）。よって$S_{n+1} \leqq S$であるが、仮に$S_{n+1} < S$としよう。すると$S_{n+2} = S$でなければならないが、定義により、$S_{n+2} = S$は$S_{n+1} + S_n = S_{n+1} + S$を割り切らねばならない。$S_{n+1} < S$だからそれは矛盾する。こうして$S_{n+1} = S$であることも示され、定義により$S = S_n = S_{n+1} = S_{n+2} = S_{n+3} = \cdots$となる。つまり、$S_n$はやがて一定値$S$になることが示された。

　ここまで来れば、その一定値Sがどういうものであるかも、そんなに難しくはないだろう。dをS_{n-1}とS_{n-2}の公約数とすると、S_{n-1}とS_{n-2}が奇数だからdも奇数である。dは$S_{n-1} + S_{n-2}$の約数でもあるから、定義によりS_nも割り切る。逆に、dがS_nとS_{n-1}の公約数であるとすれば、dは$S_{n-2} = cS_n - S_{n-1}$（cは整数）の約数でもある。つまり、aとbの最大公約数を$\gcd\{a,\ b\}$と表すとすると、$\gcd\{S_{n-1},\ S_{n-2}\} = \gcd\{S_n,\ S_{n-1}\}$だから、$\gcd\{S_{n+1},\ S_n\}$は$n$を通じて不変である。$n$が十分大きければ$\gcd\{S_2,\ S_1\} = \gcd\{S_3,\ S_2\} = \cdots = \gcd\{S_{n+1},\ S_n\} = S$より、一定値$S$は$S_1$と$S_2$の最大公約数であることがわかる。

　以上より、2人がもらえる銀貨の枚数はやがて2人が1週目と2週目に得た銀貨枚数の最大公約数となり、以降は変化しなくなることがわかった。ということは、この最大公約数をなるべく大きくするのが2人にとって得策となる。50枚以下で異なる枚数というのが条件だから、この場合は45枚と15枚を選ぶと最大公約数が15となり、一番よい。つまり、1週目にダムが45枚を選び、2週目にディーが15枚を選ぶと、あとは毎週15枚の銀貨が小遣いとしてもらえる。

　ああ、そうだ。ディーは最初の週にダムがもらう45枚のうちから15枚を協力報酬として受け取っておくのがいい。もちろんダムがそれに応じないということもありうるが、その場合は、ディーは次週に15枚以外の枚数を選

んで報復することが可能で，おそらくこの喧嘩は後手のディーのほうに分が
ありそうだ。

第132話 蜘蛛たちの ジャンプ力

　第129話でヤマネの7匹の姪たちが飼い始めた蟻の話におつきあいいただいたが，姪たちはすでに気が変わり，新しいペットに夢中だという。

　早速アリスが様子を見に行ってみると，今度のペットは蜘蛛だそうだ。昆虫や小動物には慣れていて，あまりものおじすることのないアリスだが，あのネバネバする糸はなんとなく苦手だ。

薄気味悪そうに遠くからのぞいているアリスを見て，「大丈夫よ。毒なんか持ってないし，そもそもかみついたりしないから」とサンデイ。そこでアリスが少し近寄ってみると，数匹の蜘蛛が地面に散らばっている。じっとしているかと思いきや，いきなり1匹がふんわり跳び上がり，別の1匹の蜘蛛の上を越えてその向こう側に滑らかに着地した。

意表をつかれてドギマギしているアリスを見て，「ね，ちょっとビックリでしょ」とマンデイ。「蜘蛛って意外にジャンプ力があるのよね。映画のスパイダーマンみたい。実はね，よく見ないとわからないでしょうけど，どの蜘蛛も互いに細い糸で結ばれているの。だから，ふんわりと跳び上がっても，ほら，向こうの蜘蛛がその糸を強く引いてくれるので，その蜘蛛を越えて向こう側まで跳ぶことができるのよ」。

しかしながら，興味を持ったアリスたちが調べてみると，どうやらどこまで

でも跳んでいけるというわけではないらしい。2匹だけの場合，ジャンプした蜘蛛がもう1匹の蜘蛛を跳び越えていける距離は，跳ぶ前の2匹の距離を超えられないことがわかった。しかも，ほかにも蜘蛛がいる場合，ジャンプした蜘蛛は跳び越そうとしている当の蜘蛛以外ともすべて細い糸でつながっているので，それらの糸が逆に足かせになってしまい，全部でn匹の蜘蛛がいる場合，跳び越えていける距離が2匹だけの場合の$1/(n-1)$になる。

つまり，数学的に厳密に表現するなら，位置Aにいる蜘蛛がBにいる蜘蛛を跳び越えていこうとする場合，蜘蛛の着地点をCとするとCは線分ABをBの方向に延長した直線上にあり，$\overline{BC} \leqq \overline{AB}/(n-1)$ を満たすということだ。

しかも，この最大距離は跳び越す蜘蛛と跳び越される蜘蛛の2匹の技量が完璧な場合にのみ達成され，実

際は技量が完璧ということはないので，ある1未満の正の実数rが存在して，どのジャンプも$\overline{\text{BC}} = r\,\overline{\text{AB}}/(n-1)$を満足する。

さて，ヤマネの姪たちは蜘蛛たちをしばらく自由に遊ばせておきたいのだが，放っておくと限りなく遠くへ行ってしまって集めるのに大変な手間がかかりそうで，ためらっている。幸い蜘蛛たちはいま，東西に一列に並んでおり，それぞれの蜘蛛は西に傾き始めた太陽を追うように，自分よりも西にいる蜘蛛を跳び越して西向きにのみ移動している。そこで読者への問題だが，上述のような場合には蜘蛛たちが勝手にジャンプを繰り返しても，その行動範囲には限界があり，今いる範囲よりも限りなく西へ行くことがないことを証明して，姪たちを安心させてほしい。

また，ウォーミングアップ問題として，上の証明のためには蜘蛛たちの技量が完璧でないことが必要であり，もし$\overline{\text{BC}} = \overline{\text{AB}}/(n-1)$となるようなジャンプがいつでも可能ならば，蜘蛛が何匹いようとも，好きなだけ西に行くことができることを示していただきたい。

第 132 話の解答

　ウォーミングアップ問題，つまり蜘蛛たちの技量が完璧な場合は，典型的な例を 1 つ見いだせばよいだけだから簡単すぎたかもしれない。たぶん一番わかりやすい例は，すべての蜘蛛が等間隔 d で東西に一列に並んでいる場合だ。いつも東端の蜘蛛が西端の蜘蛛を越えて跳んでいくことを考えると，跳ぶ前のその 2 匹の距離は $(n-1)d$ だから，技量が完璧な場合，着地点は西端にいた蜘蛛のさらに西に距離 d だけ進んだ地点になる。つまり，蜘蛛全体で考えれば，皆が西に d だけずれた結果になる。これを何度も繰り返していれば，蜘蛛たちは全体として好きなだけ西にずれていくことができる。

　上の例で簡単のため各蜘蛛の間を同距離 d としたことは本質的でない。重要なのは常に東端の蜘蛛が西端の蜘蛛を跳び越すことで，例えば，蜘蛛が 3 匹いて，それらが a, b という間隔で東から西に並んでいる場合，最初のジャンプで蜘蛛たちの西最前線は距離 $d_1=(a+b)/2$ だけ西に移動する。次のジャンプでは $d_2=(a+3b)/4$ だけ移動する。

　一般に k 回目のジャンプで西最前線が移動する距離を d_k とすると，漸化式 $d_{k+2}=(d_{k+1}+d_k)/2$ が成り立つ。よって，高校数学程度の数列の知識があれば

$$d_k = \frac{a+2b}{3} + \left(-\frac{1}{2}\right)^k \frac{b-a}{3}$$

が導けるだろう。

　明らかに d_k は $(a+2b)/3$ に収束するから，蜘蛛がジャンプするごとにその西最前線は平均で $(a+2b)/3$ ずつどこまでも西へ移動していくことがわかる。蜘蛛が n 匹いて，それぞれが a_1, ……, a_{n-1} という間隔で東から西に並んでいる場合も同様で，いつも東端の蜘蛛が西端の蜘蛛を跳び越す場合，西最前線は平均で

$$\frac{2a_1+4a_2+\cdots+2(n-1)a_{n-1}}{n(n-1)}$$

ずつ西に進み続けるようだが，それを説明するのによいアイデアがないか読者のお知恵を拝借したいところだ。

さて，ここまでは蜘蛛たちの技量が完璧な場合であり，実はそうではないから，蜘蛛たちの西への移動に限界があることを証明したい。まず2匹だけの場合を考えてそれを参考にしよう。2匹が東西に距離dだけ隔たっているとする。東の蜘蛛が西の蜘蛛を跳び越して着地する地点は，現在の西の蜘蛛からさらに西へrd進んだ地点だ。これを繰り返すと，次は西最前線の位置がさらにr^2d進む。このように西最前線の位置は次第に西に移動するが，k回のジャンプ後でも元の東の蜘蛛の位置からの累計は

$$d + rd + r^2d + \cdots + r^kd = \frac{(1 - r^{k+1})d}{1 - r}$$

にとどまり，$d/(1 - r)$ を超えることはない。

一般にn匹の場合はどうだろうか？　東西に座標軸を取り，東から順に各蜘蛛の座標をx_1，x_2，……，x_nとする。すなわち$x_1 \leqq x_2 \leqq \cdots \leqq x_n$である。2匹のときの座標$M = x_1 + d/(1 - r)$ のようなものを見つけて，どの蜘蛛の座標もMを超えられないことを示せばいい。いささか天下りだが，どの時点でも一番西にいる蜘蛛の座標x_nだけを特別扱いして，変量

$$W = x_n - r(x_1 + \cdots + x_{n-1})$$

というものを考える。

$x_i < x_j$ ($\leqq x_n$) のとき，x_iにいる蜘蛛がx_jにいる蜘蛛を跳び越えたとする。その蜘蛛の新しい座標をx_i'とすると

$$x_i < x_j < x_i' = x_j + r(x_j - x_i) = (1 + r)x_j - rx_i$$

である。その位置が一番西にいる蜘蛛の位置x_nより西に来た場合，その2匹の蜘蛛の役割が入れ替わるので，新しいWの値は元の値と比べると

$$(x_n - rx_i) - (x_i' - rx_n) = (1+r)x_n - rx_i - (1+r)x_j + rx_i = (1+r)(x_n - x_j) \geqq 0$$

だけ減少する（$j = n$の場合は変化しない）。また，新しい位置x_i'が西最前線を更新しない場合，新しいWの値は元の値と比べると

$$-rx_i + rx_i' = r(x_i' - x_i) > 0$$

だけ減少する。いずれにせよ，Wは増加することはないから，初期状態でのWの値をW_0とすると，どの時点でも$x_n > W_0/\{1 - r(n-1)\}$となることはない。なぜなら，もしそうなったら，そのときのWの値は，他の蜘蛛の位置$x_i\,(\leqq x_n)$がどうなっていようとも

$$W = x_n - r(x_1 + \cdots + x_{n-1}) \geqq x_n - r(n-1)x_n = x_n\{1 - r(n-1)\} > W_0$$

となり，Wが非増加であることに矛盾するからだ。

　こうして，蜘蛛の西最前線は（よってどの蜘蛛も）座標$W_0/\{1 - r(n-1)\}$の点Mを超えて西に進むことはできないことが示された。

　余談だが，蜘蛛たちが西へ進みたい場合，西方向への動きばかりにこだわるのは実は賢明ではない。蜘蛛が3匹以上いるなら，真ん中近くにいる蜘蛛が東西両端の蜘蛛の助けを借りて，東西へ交互に跳ぶのがよいだろう。それほど技量がなくても，これを繰り返していれば，東西どちらの方向にも好きなだけ前線を進めることができる。そうしたうえで，最西端にいる蜘蛛に全員を引き寄せてもらえばいい。興味を持った読者には，この戦略の有効性を確かめていただきたい。

第133話 兵士たちの大喧嘩

　3人組からお茶会の会場を奪って催されるトランプ王国の晩餐会の様子は
これまでにも何度か紹介してきたが，あるとき，無礼講だとしても話しにく
いこともあるだろうからと，王侯たちが全員席をはずし，兵士40人だけに
したことがあった。ところがこれがとんでもないことになった。当然だが，
兵士どうしといってもとても仲良しの場合もあれば犬猿の仲という場合もあ
る。そのときはとても仲の悪い2人がたまたま隣り合っていて，会がさほど

座席

テーブル

進まないうちに大喧嘩になってしまった。王侯がいれば多少の遠慮もあるだろうが，そういう抑止力もないせいで，喧嘩の挙げ句の果てには皿が飛び交い料理や飲み物が宙を舞うという大惨事になってしまったのだ。

　これに懲りたハートの女王は，今後二度とそういうことがないようにと，兵士たち全員に，仲が悪いので隣には座りたくない相手のリストを前もって提出させることにした。そして，その結果をアリスとグリフォンに渡し，少なくとも一方が他方を嫌っている2人が隣り合わないように40人の兵士をぐるりと並べる座席表を作れないかと依頼した。

　「ええー，そんな都合のいい座席表ができるかしら？」とアリス。

　不仲リストをじっと見ていたグリフォンがしばらくして口を開いた。「うーむ。幸い，どの兵士も仲が悪い兵士の数は19人以下だよ。『仲が悪い』とは，少なくとも一方が他方を嫌っているっていう意味だ。こういう状況の場合には，ハートの女王の希望通りに座席表が作れることは確実だから，さっそく作成に着手しようじゃないか」。

　読者への問題は，このグリフォンの言葉の正しさを証明することだ。

111

それにはいろいろな方法がありうるが，座席表を作成するためのシステマティックな手順を考えていただくのが一番よいかもしれない。

さらに，これだけでは物足りないという読者のためにもう1問。ハートの女王は，大勢が集まるパーティーのホステスを務めることになった。女王はパーティーの記念としてn種類の贈り物を用意していて，各客に1つずつ配ろうと考えているが，どの客Pを取っても，Pの知り合いのたかだか$1/n$にしかPと同じ種類の贈り物がいかないようにしたい。それは可能だろうか？

可能ならそれを証明し，不可能なら反例を示していただきたい。なお，客どうしは互いに知り合いか知り合いではないかのどちらかで，一方だけが知っているという関係はないこととする。

第133話の解答

　最初の問題は，グラフ理論で「ディラックの定理」と呼ばれている事実から材料をいただいた。余談だが，この定理のディラック（Gabriel Andrew Dirac）は有名なノーベル賞物理学者（Paul Dirac）ではなくその継子で，母の再婚によりそういう姓になったらしい。また母はノーベル賞物理学者のウィグナー（Eugene Paul Wigner）の妹だそうだから，大変な学者一家の出である。

　さて，ディラックの定理は40人でなくとも一般に偶数人の円卓において成立するもので，グラフ理論の言葉で表現すると「$2n$個の頂点を持つ単純グラフにおいて，どの頂点の次数もn以上ならば，そのグラフにはハミルトン閉路が存在する」となる。単純グラフ，次数，ハミルトン閉路などの用語が聞きなれないという読者がおられるかもしれないが，いずれも基本的な用語なので適当な教科書を参照されたい。

　さて，座席表作成の手順であるが，最初は兵士たちを勝手な順番でぐるりと配置する。その結果，仲の悪い兵士が隣り合っているとし，その2人を時計回りにA_0，B_0としよう。さらにB_0から時計回りに進みA_0に戻るまでB_0と仲の悪くない兵士を順にB_1，B_2，……，B_kとする。B_0と仲の悪い兵士は19人以下だから，$k \geqq 20$だ。B_iの右隣の兵士をA_iとする（$A_i = B_{i-1}$ということもありうる）。A_0と仲の悪い兵士も19人以下だから，A_1，A_2，……，A_kの中にはA_0と仲の悪くない兵士A_jがいて，$A_j \neq B_0$だ。そこでB_0から時計回りにA_jまでの兵士の全員をこれまでとは完全に逆順の席にする。この操作を行った結果，A_0-B_0，A_j-B_jという隣接関係が解消され，代わりにA_0-A_j，B_0-B_jという隣接関係ができるが，他の隣接関係は保ったままだ。新しくできる隣接関係はどちらも仲が悪くないから，A_0-B_0が消えたことで，仲の悪い隣接関係は確実に1つ（場合によっては2つ）減る。こうしてこの操作は，仲の悪い隣接関係を減らしていくから，やがてそのような関係はゼロになり，

113

目標が達成される。

　今の議論を少し精密化すると，グラフ理論で「オーレ（Ore）の定理」と呼ばれているものにたどり着く。これは「頂点数nの有限単純グラフGにおいて，頂点vの次数を$\deg(v)$と書く場合に，隣接しない任意の2頂点v, wについて$\deg(v) + \deg(w) \geqq n$が常に成立するなら，Gにはハミルトン閉路が存在する」というものだ。ハミルトン閉路の構成方法も上の議論と基本的に同じだから，あとは読者に考えていただこう。

　2つめの問題もグラフ理論の用語で表現できる。「有限単純グラフの頂点をn色で塗り分けるとき，どの頂点もせいぜいその隣接頂点の$1/n$としか同色にならないようにできるか？」というものだ。

　この答えも，実際に贈り物配布表の構成手順を示すのが実用的だろう。贈り物の種類をK_1, K_2, ……, K_nとし，最初は好きなように客に配ってみよう。この時点では全員に同じものを配るというのでもかまわない。客の1人Pを取り，その知り合いの全体をFとする。そのうちで贈り物K_iを配られた客の全体を$F(i)$とすると，もちろん$F(1)$, $F(2)$, ……, $F(n)$はFの分割になる。Pに配られた贈り物がK_jであり，$\#F(j) > (\#F)/n$であるとしたら，ある贈り物K_i $(i \neq j)$で$\#F(i) < (\#F)/n$となるものが存在する（$\#X$は集合Xの要素数を表す）。このようなときにはPへの贈り物をK_jからK_iに変えることにする。問題の条件を満足しない客がいる限り，このような贈り物の変更を繰り返すことでやがて条件が満足されることを示そう。つまり，こうした贈り物の変更は永遠には続かないことを証明すればよい。

　そのためには同じ贈り物をもらった知り合いペアの総数について考えるとよい。上の贈り物の変更操作で，変更前は$F(j)$の全員とPとがペアを作っていたが，変更後はそれらのペアが解消されて$F(i)$の全員とPとが新しくペアになるものの，他のペアには影響がない。$\#F(j) > \#F(i)$だから，ペアの総数は確実に減るが，もちろん非負の整数値だから，ある一定の値未満になることはない。よって，贈り物の変更が永遠に続くことはない。

第**134**話 | 外れると ヒントがもらえる賭け

　ある日，帽子屋が恒例のお茶会会場である三月ウサギの家の前にブラブラ
とやって来ると，驚いたことに珍客がいた。例のマハラジャ出身と噂される
お大尽だ。

　自分に得にならない賭けを持ちかけては金品をばらまくのがお大尽の趣味で
あることは，いまや不思議の国では誰一人として知らぬものはない事実だ。
どうやら，先に来ていたヤマネを相手に新しい賭けの実演と検証をしている
ようで，ルーレットやらサイコロやらがテーブル上に転がっている。ルーレッ
トは1から36までの目が均等に出るというタイプのもので，0や00の目はない。

お大尽がヤマネに言う。「わしがこのルーレットを君に見えないように回す。出た目が何かを君が当てれば，その目と同じ枚数の銀貨を君にあげよう。さて，どの目に賭ける？」

　さすがにヤマネも次のように考えた。「ええっと，目が出る可能性は1も36も同じだよね。すると1を選ぶよりも36を選んだほうが当たったときに得だよな」。

　そこでヤマネが「36がいいな」と答えると，お大尽は満足そうに「そうだろう，そうだろう」とうなずいて，「当てるチャンスが1回だけだと外れた場合に気の毒だから，あと2回チャンスをあげよう」と続ける。「さらに，実際に出た目がその外れた数値よりも大きいか小さいかを毎回ヒントとして教えてあげることにしよう。君は出た目を3回以内に当てれば，その目と同じ枚数の銀貨がもらえるということだ。さあ，今度は最初にどの目に賭ける？」

　今度はヤマネもキョトンとして「当たると得になる36，35，34という順に賭ければいいのだろうか」などと考えるが，よくわからない。助けを求めるように帽子屋を見るが，帽子屋もすぐには答えが出せない。三月ウサギも家から出てきて仲間に加わり，考え始めた。

　このあたりで読者にも参加していただこう。お大尽が提案しているような賭けの場合にヤマネはどのような戦略をとればよいかについて，3人組にアドバイスをいただきたい。

　実は，お大尽は自分が支払わねばならない銀貨枚数の期待値を知りたがっている。読者にはヤマネが最適戦略をとった場合に銀貨枚数の期待値がいくつになるかも考えていただこう。

　また，ルーレットを回すのではなく，2個のサイコロを振り，出た目の和を当てるという賭けならばどうだろう。ルーレットの場合と同様に，ヤマネがとるべき戦略と，そのときにお大尽が支払う銀貨枚数の期待値を考えていただきたい。さらに，2つのサイコロの目の積を当てる場合はどうだろうか？

　どちらも，報酬は当てた数値と同じ枚数の銀貨であり，ヒントをもらいながら3回以内に当てるという条件も同じとする。

第134話の解答

　外れるとヒントがもらえて3回まで試せるというこの賭けだが，一見奇妙に見えるものの，実はヒントなしで7回挑戦できる賭けと実質的に同じだとわかるだろうか？　ヒントといっても色々とありうるが，お大尽が提案したタイプのヒントの場合，外した数値との大小関係がわかり，それによって残りの可能性をいつでも二分できることがポイントだ。

　チャンスが1回しかない場合はもちろん1つの値を試す以外にないが，チャンスが2回あれば，1つの値を試した後にヒントに則したもう1つ別の値を試すことができ，これはヒントなしで3つの値を試すのと実質的に同じだ。もしチャンスが3回あれば，最初の1回を外した後でも，まだ2回のチャンスが残っているから，さらに3つずつ別の値を試せると考えられるので合計7つになる。こうして，一般にチャンスがn回ある場合，数学的帰納法により，簡単な計算で$2^n - 1$個の値を試せそうだとわかる。

　実際，お大尽が提案したタイプのヒントの場合は，その実現は容易である。試したい数値7つを自由に選び，まずそれを小さいほうから順に並べる。その結果をa_1，a_2，a_3，a_4，a_5，a_6，a_7としよう。そして，真ん中の数値a_4を1回目に選ぶのだ。外れたときは，ヒントの内容に応じて，もっと大きいと言われれば残った数値の大きいほう3つのうちの真ん中a_6を，もっと小さいと言われれば小さいほう3つのうちの真ん中a_2を次に選ぶ。あとはおわかりであろう。もし正しい数値が最初に選んだ7つの中にあれば，このやり方で確実に3回以内に当てることができる。もちろん，正解が最初に選んだ7つの数値以外であれば当たるはずはないが，これはしかたのないことだ。

　こうして，問題は最初に7つの数値をどう選ぶかということに帰着された。あとは簡単であろう。報酬額の期待値が大きい順に7つの数値を選ぶ以外は考えられない。ルーレットの目を当てる場合，期待値は目の値が36，35，34，33，32，31，30の順に小さくなっていく。よって，ヤマネはまず真ん

中の数値33を最初に選ぶとよい。以後，（外れたときには）ヒントの内容に応じて数値を選んでいけば，正解が30以上の場合は必ず当てることができる。目の出る確率はどれも 1/36 だから，この場合にお大尽が支払う銀貨枚数の期待値は

$$\frac{36 + 35 + 34 + 33 + 32 + 31 + 30}{36} = \frac{231}{36} \approx 6.4$$

である。

2つのサイコロの目の和を当てる場合はどうだろうか。目の和には2から12までの可能性があるが，それらを出すサイコロの目の組み合わせの数を表にすれば下の表1のようになることは容易にわかるだろう。3行目に1行目と2行目の数値の積を書いておいたが，それを36で割った値が，その目の和から得られる銀貨枚数の期待値だ。期待値が大きい目の和を7つ選ぶと5，6，7，8，9，10，11である。よってサイコロの目の和による賭けの場合，ヤマネはまず8を選び，以後は先述のやり方に従えばよい。また，この場合にお大尽が支払う銀貨枚数の期待値は

$$\frac{20 + 30 + 42 + 40 + 36 + 30 + 22}{36} = \frac{220}{36} \approx 6.1$$

である。

表1

目の和	2	3	4	5	6	7	8	9	10	11	12
組み合わせ	1	2	3	4	5	6	5	4	3	2	1
積	2	6	12	20	30	42	40	36	30	22	12

表2

目の積	1	2	3	4	5	6	8	9	10	12	15	16	18	20	24	25	30	36
組み合わせ	1	2	2	3	2	4	2	1	2	4	2	1	2	2	2	1	2	1
積	1	4	6	12	10	24	16	9	20	48	30	16	36	40	48	25	60	36

最後に2つのサイコロの目の積を当てる場合を検討しよう。目の積にはとびとびに1から36までの可能性があるが，和の場合と同様に，それらを出すサイコロの目の組み合わせの数とともに表にすれば左ページの表2のようになる。和のときと同様に3行目の数値を36で割ったものが，その目の積から得られる銀貨枚数の期待値だ。期待値が大きい積を7つ選ぶと12，15，18，20，24，30，36である。よってサイコロの目の積による賭けの場合，ヤマネは最初に20を選ぶのがよい。また，この場合にお大尽が支払う銀貨枚数の期待値は

$$\frac{48 + 30 + 36 + 40 + 48 + 60 + 36}{36} = \frac{298}{36} \approx 8.3$$

である。

第135話 | ポーンたちの プレゼント交換

　賭け事が大好きな赤のポーンたちが集まってガヤガヤとやっている。アリスが覗いてみると，お決まりの道具である正8面体サイコロはなく，ただ食事をしながら談笑しているようだ。怪訝な顔のアリスに気がついてポーンの1人がいう。「何も俺たちだって，いつも賭け事のためだけに集まっている

わけじゃないぜ。実は、不思議の国のトランプ王室で定期的に行われている晩餐会の話を小耳に挟んだんで、チェス王室でも懇親のために開いてみてはどうかなと思ったんだ」。

だが、赤の女王に提案したところ、「いきなり王室全体でというのもなんだし、お前たち赤のポーンはしょっちゅう集まっているようだから、まずはお前たち8人だけでやってみよ」と言われ、ポーンたちのみの晩餐会を開くことになったという。

ポーンは続ける。「晩餐会自体はいいんだけど、賭け事をしない集まりは初めてだから、みなが退屈しないようにいくつかイベントを用意したんだ。1つは互いが持ち寄ったものを交換し合う『プレゼント交換』。ちょっと賭けっぽい要素を入れて、くじ引きでどのプレゼントをもらうかを決めることにしたんだ。ちょうどいい、くじを引くのを手伝ってくれないか？」

もちろん、アリスに断る理由はない。早速くじ引きを始めたが、何人か分を引いた時点で、「あれ、俺、自分が用意したものが当たっちまった。つまんねえな」という声が上がった。確かにそれは面白くなかろう。最初から引き直そうということになったが、どうもこの日は運命の神様の機嫌が悪いようで、8人全員が自分の用意した以外のプレゼントを割り当てられるまでに、結局5回の引き直しを要した。

読者への最初の問題は、くじ引きが完全にランダムに行われているとき、くじの引き直しがどのくらいの頻度で発生するか、その確率を計算していただくことだ。

ポーンたちの初めての賭けなし晩餐会は滞りなく進み、最後のイベント、記念写真撮影に移った。ポーンたちは互いによく似ていて、アリスが見ても

区別がつかないほどだが，第107話「平等な綱引き」（『ハートの女王とマハラジャの対決　パズルの国のアリス3』）で述べたように，彼らの身長は微妙に異なる。撮影は2回，1回目は左から右に背の低い順に並び，2回目はでたらめに並んで行うことにした。しかし，2回目の撮影を行おうとしたとき，1回目と2回目で2人が同じ順で隣り合うのは面白くないということになり，調整することになった。

　読者には2つ目の問題として，でたらめに並んだ場合に，1回目と同じ順で隣り合う2人組が生じる確率を求めていただきたい。なお，同じ2人が隣り合っていても，左右が異なっていればかまわないものとする。

第135話の解答

　最初の問題，つまり誰かに自分が持ってきたプレゼントが当たる確率は，組み合わせ論的確率論では比較的に馴染みの問題で，答えを知っている読者も多かろう。その解説から始めることにしよう。

　この問題に答えるには，英語でderangementと表現されるものを数え上げることが基本となる。derangementを英和辞典で引くと，「攪乱」や「混乱」という訳語が目につく。精神的な状況を表す「錯乱」や「発狂」という意味もあるらしいが，数学用語としては「攪乱列」や「乱列」という語を当てることが多いようだ。本稿では「乱列」という言葉を採用したい。乱列が何かというと，n個のものが並んでいるとき，それらを並べ直して，どれも前とは同じ位置に来ないようにする順列のことである。例えばA，B，C，Dの4つがABCDの順に並んでいた場合，それらを並べ直したCBDAはBが左から2番目にあって前と同じだから乱列とは言わない。DABCなら乱列である。n人のプレゼント交換により自分の用意したものが自分のところには来ないという結果，すなわち問題の余事象と，この乱列とが1対1に対応することは，自明だろう。

　n個の要素の乱列の数を$D(n)$と書くことにしよう。nが小さい正の整数のときは，乱列をすべて書き出すことで$D(n)$が容易に求まる。例えば，$D(1)=0$，$D(2)=1$，$D(3)=2$，$D(4)=9$である。実際にABCDの乱列をすべて書き出すと，BADC，BCDA，BDAC，CADB，CDAB，CDBA，DABC，DCAB，DCBAの9つだ。だがポーンの場合のように$n=8$にもなると，重複や数え落としがないようにすべてを書き出すのは容易ではないから，組み合わせ論の出番になる。

　こういう場合に有効なのは「包除原理」である。英語ではinclusion-exclusion principleと呼ばれるもので，省略せずに包含排除原理と訳すこともあるようだ。これは，和集合の要素数や和事象の確率を計算するうえで不

可欠な法則で，一番簡単な形の適用例は

$$\#(A \cup B) = (\#A) + (\#B) - \#(A \cap B)$$

というものだ（$\#A$はAの要素数）。$A \cup B$の要素数を知りたいときにAとBの要素数を足したのでは，AとBに共通の要素を2重にカウントすることになるから，その分を引き戻しておけばよいという，もっともな話を法則化したにすぎない。ただ，集合が2つなら簡単だが，3つ以上あるときには複雑になる。一般式を書くなら，$\mathcal{F}$を有限個の有限集合の集まりとするとき

$$\#\left(\bigcup \mathcal{F}\right) = \sum_{\emptyset \neq S \subset \mathcal{F}} (-1)^{(\#S)-1} \#\left(\bigcap S\right) \quad \cdots\cdots ①$$

となる。複雑な式に見えるが$\mathcal{F} = \{A, B\}$の場合は，上に書いたものと同じだから，慣れている人には何でもないと思う。

　といっても，こんな式は見たくないという読者もおられるだろうから，包除原理の考え方を用いて$D(n)$をどのように計算するかを考えることにしよう。乱列を数えるにはそうでない列を数えて，全順列の個数$n!$から引けばよい。ある順列が乱列でないということは，1番目からn番目までのどこかに前と同じ人がいるということだ。1番目の人が同じである列はいくつあるだろうか？　これは簡単だ。ほかの$n-1$カ所は勝手に並べてよいのだから$(n-1)!$個ある。同様に2番目が同じという列も$(n-1)!$個だ。だが，1番目からn番目までのどこかが前と同じという列が$(n-1)! \times n = n!$個あると考えるのは間違い。なぜなら2カ所が同じという列が2重に数えられているからだ。では，その分を引くことにしよう。1番目と2番目が同じという列は$(n-2)!$個，1番目と3番目が同じという列も$(n-2)!$個だから，2カ所で同じという列はその2カ所がどこの場合でも$(n-2)!$個ある。n個の位置から2カ所の選び方は${}_nC_2$だけあるから，どこか2カ所が前と同じという列は延べで$(n-2)! \times {}_nC_2 = n!/2!$個ある。そこでそれを$n!$から引い

て $n!\,(1-1/2!\,)$ でよいだろうか？　おっと，実はこれでは引きすぎで，3カ所で同じという列がカウントされなくなってしまう。そこで3カ所で同じという列の延べ個数 $(n-3)!\times {}_nC_3 = n!/3!$ を足すと，今度は4カ所で同じという列の分が足しすぎなのでその延べ個数 $n!/4!$ を引き……ということを一般に述べているのが式①だ。結局，どこかが前と同じ，すなわち乱列でないものの個数は

$$n!\left(1-\frac{1}{2!}+\frac{1}{3!}-\cdots-(-1)^{n-1}\frac{1}{(n-1)!}-(-1)^n\frac{1}{n!}\right)$$

だから，その反対に乱列の個数 $D(n)$ は

$$n!\left(\frac{1}{2!}-\frac{1}{3!}+\cdots+(-1)^{n-1}\frac{1}{(n-1)!}+(-1)^n\frac{1}{n!}\right)$$

である。くじの引き直しが起こるのは乱列でない場合だから，その確率は

$$1-\frac{1}{2!}+\frac{1}{3!}-\cdots-(-1)^{n-1}\frac{1}{(n-1)!}-(-1)^n\frac{1}{n!}$$

ということになる（この確率は $D(n)$ を用いて $1-D(n)/n!$ とも書ける）。$n=8$ の場合にこれを厳密に計算するのは，手計算では大変だろう。しかし，n が大きくなれば，$D(n)/n!$ の値が $1/e$ に急速に収束することに気がつけば，求める確率はだいたい $1-1/e\approx0.632$ であると簡単に計算できる。

　そもそも，上の $D(n)$ の式は具体的な n に対して乱列の個数を計算するのには向かない。そのためには上の式を変形して簡単に証明できる次の漸化式が便利だ。

$$D(n)=nD(n-1)+(-1)^n$$

これを使えば $D(1) = 0$ から始めて

$$D(2) = 2 \times 0 + 1 = 1$$
$$D(3) = 3 \times 1 - 1 = 2$$
$$D(4) = 4 \times 2 + 1 = 9$$
$$D(5) = 5 \times 9 - 1 = 44$$

というふうに $n!$ と同じくらいの手間で乱列の個数が計算できる。また，$D(n) = (n-1) \times (D(n-1) + D(n-2))$ という式も成り立つので，こちらを使ってもよいかもしれない。

　次の問題は，並び直したときに1回目と同じ順で隣り合う2人組が生じる確率だ。この場合も包除原理の考え方が基本となる。最初の撮影で並んだ順にポーンたちに番号を振り，彼らが1回目に 1-2-……-n と並んでいたとしよう（$n = 8$ であるが，一般に n で考える）。2回目の撮影でも 1-2 という並びができていたとしたら，このような順列は何通りあるだろうか？　実は 1-2 をひとかたまりと考えれば 1-2, 3, 4, ……, n という $n-1$ 個のものを並べるのと同じだと気がつく。よって全部で $(n-1)!$ 通りだ。同様に 2-3 や 3-4 などの並びを含む順列の数もそれぞれ $(n-1)!$ 通りあるから，このどれかの並びを含む順列は延べで $(n-1) \times (n-1)!$ 通りだが，乱列の場合と同じでこれでは多すぎる。同じ順で隣り合う2人が2カ所以上に同時に生じることがあるからで，その分を引かねばならない。同じ順で隣り合う2人が2組ある場合というのは，1-2-3 のような3人のかたまりができている場合と 1-2 と 4-5 のように2人ずつのかたまりが2つできている場合があるが，冷静に考えるとどちらも $n-2$ 個のものを並べるのと同じだとわかる。対2組の選び方は ${}_{n-1}C_2$ 通りあるから，同じ順で隣り合う対が2組ある場合は延べで $(n-2)! \times {}_{n-1}C_2 = (n-2)(n-1)!/2!$ 通りある。先と同様に，これを引き，さらに同じ順で隣り合う対が3組ある場合を足し戻し，4組ある場合を引き

……と進めていくと，結局，同じ順で隣り合う対を含まない順列の数を $Q(n)$ と書けば

$$Q(n) = n! - \sum_{k=1}^{n} (-1)^{k-1} \frac{(n-k)(n-1)!}{k!}$$

となる。これを変形すると

$$Q(n) = n! - \sum_{k=1}^{n} (-1)^{k-1} \frac{n!}{k!} + \sum_{k=1}^{n} (-1)^{k-1} \frac{(n-1)!}{(k-1)!} = D(n) + D(n-1)$$

である。だから8人の場合，同じ順で隣り合う2人が生じる確率は $1 - Q(8)/8! = 1 - (D(8) + D(7))/8!$ であり，くじの引き直しが起こる確率よりも $D(7)/8!$ だけ小さい。n が大きくなれば $D(n-1)/n! \approx 1/(ne) \rightarrow 0$ だから，人数が多くなればくじの引き直しの場合との差は相対的には縮まっていき，$1 - 1/e$ に収束する点は同じだが，収束はくじの引き直しの場合よりもずっと遅い。

第136話 ポーンたちの背比べ

　第135話では赤のポーンたちが賭け事なしで集まった初めての晩餐会の話をしたが，その続きの話にもう少しお付き合い願おう。

　晩餐会はプレゼント交換も記念写真撮影も何とか無事に済み，そろそろお開きにしようかということになったとき，突然，会場に白のポーンたちが大挙してなだれ込んできた。

　「あれあれ，おい，噂どおりだぞ」
と先頭を切って入ってきたポーンが後続の
仲間に叫ぶ。「こっそり赤の連中だけでうまいことやりやがって」。

　「うまいことって……俺たちは，赤の女王様が『まずはお前たちだけで』っておっしゃるから……」と赤のポーンが反論すると，「だから，それがけしからんって言うんだ。そもそも俺たち白のポーンのことが最初から念頭にないってのがおかしい。同じチェス王室を守る者としてそんな話がある

か？」と，もし逆の立場なら赤のポーンのことなど思い出しもしないのに，白のポーンはここぞとばかり言い募る。

こうしてともかく，晩餐会は乱入者を迎え，王侯たちこそいないもののポーン全員による大宴会に発展した。

居合わせていたアリスは未成年のためジュースでお付き合いだが，にぎやかな宴会は嫌いではない。互いによく似た16人が輪になってワイワイとやっているのを見て楽しんでいたが，彼らの身長が少しずつ異なるという事実を思い出した（第107話「平等な綱引き」，『ハートの女王とマハラジャの対決　パズルの国のアリス3』参照）。「確か背の順に並ぶと身長が等差数列をなすということだったけど，本当かしら？」

そこで「ねえ，ねえ，みなさんの身長って本当に等差数列になるの？　そのままの位置でいいから，隣どうしで比べあってみてくださらない？」

アルコールも入って陽気になっていたポーンたちは「お安い御用さ」と隣どうしで背比べをし，その差をぐるりと書いた紙をアリスに渡した。それを見たアリスは「あら，本当，みな特定の値の整数倍だわ」と驚いて眺めていたが，ふと何を思ったか，その隣に新たに数値を書き始めた。

しばらくして顔を上げ，「驚いたわ。16個の数値が輪の形に並んでいたから，それぞれ隣どうしの差を求めてその数値をまた輪の形に書いたのよ。それを何度もやっていたらしまいには全部が0になってしまったわ。これって偶然？　それともいつでもこうなるのかしら？　誰かご存じない？」

　読者には，このアリスの疑問に答えていただきたい。これは偶然だろうか？もし偶然だとしたら，ポーンたちがどのように並んでいればこのようなことが起こるのだろうか？　もし必然的にそういうことが起こるのだとしたら，それを証明していただきたい。

第136話の解答

　読者は試しに適当に数値を決めて実際にやってみられるとよい。うんざりするほどの長いプロセスを経てのことにはなるが，数値はすべて0になって終わる。というわけで，アリスが観察した結果は必然的なことなのだが，どんな数値を何個輪の形に並べても必ずそうなるというわけではない。実は，この結果がもたらされるには2つの要因が絡んでいる。

　1つは，アリスが述べているように，最初の数値がすべて特定の値の整数倍だったことである。もう1つの要因は，ポーンの人数が16であることだ。この16というのがどうして特別かというと，実はそれが2のべき，すなわち2^4と書ける数値だからである。読者は2人と4人が輪になっている場合に同じことをやってみられるとよい。2人の場合は書き出すまでもないだろう。2人の身長がaと$a+b$の場合，差の数値の輪はbが2つからなり，次には0が2つになる。4人の場合，身長がa，$a+b$，$a+2b$，$a+3b$のポーンがこの順に輪になっているとしよう。このとき，数値の輪は

$$\begin{array}{cc} b & 3b \\ b & b \end{array} \Rightarrow \begin{array}{cc} & 2b \\ 0 & 2b \\ & 0 \end{array} \Rightarrow \begin{array}{cc} 2b & 0 \\ 0 & 2b \end{array} \Rightarrow \begin{array}{cc} & 2b \\ 2b & 2b \\ & 2b \end{array} \Rightarrow \begin{array}{cc} 0 & 0 \\ 0 & 0 \end{array}$$

のように変化し，やはり0ばかりになる。最初の並び順が違っていても同じようにやがて0ばかりになることを読者は確かめられたい。実は身長が等差数列になっている必要はなく，差のすべてが整数比を持つという条件が満たされているだけで同じ結果が得られるのだが，0だけになるまでの手数は長くなるかもしれない。さらに，人数が8人，16人と増えていっても，差が整数比を持つという条件が満たされれば，同じ結果になる。

　だが，それを考える前に人数が2のべきではないとどういうことになるか調べておこう。3人で身長がa，$a+b$，$a+2b$の場合，数値の輪は

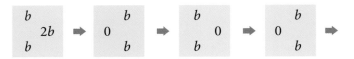

と変化し，この後は同じことが繰り返されるので，すべてが0になることはない。人数が5，6，7でも状況は似ていて，やがて同じことの繰り返しにはなるが，すべてが0になるとは限らない。では，人数が2のべきの場合とそれ以外の場合で何が違うのだろうか？

　プロセス全体を通して隣どうしの値の差をとることしか行わないのだから，身長差が整数比ということは，最初に差をとった後はその比に対して同じ操作を行っても，結果は同じだ。つまり，輪をなしている数値はすべて非負の整数と考えてよい。

　そこで，まず人数が何人であろうと，数値の輪はやがて0ともう1種類の数値（例えばa）を含むだけになり，以後はそれ以外の数値が現れなくなることをまず示そう。

　輪をなしている数値の最大値を考えると，それは隣どうしの値の差をとるという操作が進んでも増加することはない。つまり，最大値は非負整数で広義単調減少だから，やがてある値a（$\geqq 0$）に落ち着き，変化しなくなる。このとき数値はすべてaか0である。どうしてか？　人数をkとし，最大値が変化しなくなってから以降，輪がA_1，A_2，……と変化していったとしよう。A_kについて考える。それぞれの輪A_iの最大値はいつもaなのだから，A_kは数値aを含む。ところが，A_{k-1}の最大値もaであるから，A_{k-1}のどこかでaと0が隣り合っていなくてはならない。しかし，A_{k-1}がa-0または0-aという並びを含むためには，その前のA_{k-2}は0-a-a，a-0-0，a-a-0，0-0-aという並びのいずれかを含んでいなければならない。以下，（厳密には数学的帰納法により）A_{k-i}にはaと0だけからなる長さ$i+1$の部分列でaを含むものが存在することが示される。よって，A_1にはaと0だけからなる長さkの並びが含まれ，その並びはA_1全体になる。よってA_1内の数値はaと0の2種

類のみだ。

　さて，人数kにかかわらず，やがて輪の中の数値はaと0の2種類だけになってしまうことは示されたが，$k = 2^m$の場合，このaも消えて結局0だけになってしまうことを証明しよう。aと0だけになった後は，隣り合った数値の差をとる代わりに和をとることにしよう。この和をとるということを繰り返した結果は常にaの整数倍になるが，それがaの奇数倍ならば差をとった場合の結果がaであり，偶数倍ならば差をとった場合の結果が0であることは直ちに納得されよう。

　だから，差をとる操作を繰り返してすべてが0になることを示すには，和をとる操作を繰り返してすべてがaの偶数倍になることを示せばよい。実は，長さ2^mの輪では，数値がaと0だけになった後，和をとる操作を2^m回繰り返すとすべての数値がaの偶数倍になる。

　まず1つの典型的な場合として，輪の1カ所だけがaで他はすべて0の場合を考えよう。和をとると，次の段階ではa-aという並びが生じ，さらに次の段階ではa-$2a$-aという並びが生じ，他は0ばかりである。さらに進めるとちょうど$2^m - 1$回の操作後に0が消え，aの二項係数倍

$$\binom{2^m - 1}{0}a, \ \binom{2^m - 1}{1}a, \ \cdots\cdots, \ \binom{2^m - 1}{2^m - 2}a, \ \binom{2^m - 1}{2^m - 1}a$$

がぐるりと並ぶ。ところで$i = 0, 1, \cdots\cdots, 2^m - 1$に対して二項係数$\binom{2^m - 1}{i}$がすべて奇数であることは知られている。よって次の操作でaの奇数倍どうしが足され，すべての数値がaの偶数倍になる。

　最初の段階で輪の中の複数カ所にaがある場合を考えよう。その場合に和をとる操作を行った結果は，aが1カ所だけの場合の結果をずらしながら加えることによって得られる。従って2^m回の操作後の結果はaの偶数倍を複数個足したものにしかならないのでやはりaの偶数倍である。

第137話 | サイコロで 地雷原を進む

　読者もご存じのように，「首をはねよ！」はハートの女王の口癖だ。この日も死刑囚の監房では，打ち首を宣告されたトランプ兵士たちが雑談に花を咲かせながら，翌朝に釈放されるのをのんきに待っている。

　ところが，その声高な雑談が監房の外をたまたま通りかかった女王に聞こえてしまい，話がややこしくなった。囚人たちのあまりの緊張感のなさにカンカンになった女王は，「即日，死刑執行だ」と騒ぎ出す。

　このようなことはよくあり，その場合に女王をな

だめるのがハートの王の役目だ。そうしないと女王の機嫌はますます悪くなる。「まあ，まあ，そちの怒りはよくわかる。しかし，こういうときには相手にも逃げ道を残しておいてやるのが王者たる者のたしなみで，そうでないと風格に欠ける」。

　王はゲーム好きなことも手伝って，次のような方法を提案した。「サイコロを振って100マスからなる廊下を歩かせるというのはどうじゃ？　いくつかのマスには地雷が仕掛けてあって，踏んだら一巻の終わりだ。もちろん勝手に歩くのではなく，サイコロの出目のとおりに進む。1が出れば1マス，6が出れば6マス進むといった具合にな。このようにサイコロを振りながら進んで100マスの廊下を無事通過できれば，釈放じゃ。どうかの？」

　賭博好きの女王はこの提案にすぐ乗ってきたが，「では，1つおきくらいのマスに地雷を置いて」と乱暴なことを言う。「おいおい，それでは命がいくつあっても足りないよ」と王。「囚人たちにお灸を据えるのが目的なんだから，地雷マスは2つもあれば十分じゃ」。

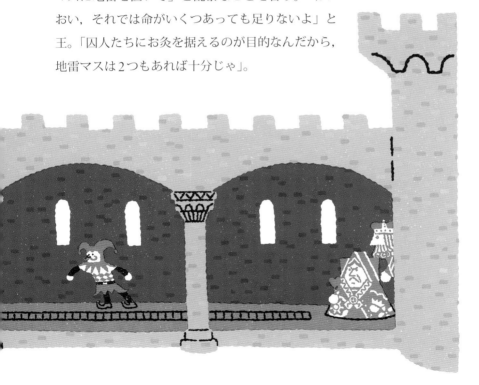

女王は少し不満そうだったが，兵士がいなくなってしまっては実際問題として困る。というわけで，「よろしいでしょう。代わりに100マスのうちどの2マスに地雷を設置するかは，こちらで決めさせていただきます」と言って，トランプ城の雑用係のジョーカーを呼びつけ，地雷の設置場所を決めるように命じた。

　ジョーカーは女王の意図をくみ，ついでに日ごろ兵士たちから雑用係としてバカにされている鬱憤を晴らそうと，間違いなく囚人が踏む確率が最大になるように2つの地雷を置くはずだ。そこで，読者への問題は，ジョーカーがどこに地雷を置くかを推測してもらうことと，その場合に囚人が地雷を踏む確率を計算してもらうことだ。

　また，王がさらに温情をかけ，2つの地雷のうち1つの位置はジョーカーが決めるが，もう1つの位置は囚人自身が決められることになったら，2つの地雷はどこに置かれ，その場合に地雷を踏む確率はどうなるだろうか？

　ところで，読者の心の平穏のために書き添えておくが，実際にマスに地雷を仕掛けるつもりなどハートの王には毛頭ない。囚人が"地雷"マスを踏んだら大きな爆発音が鳴るぐらいにとどめるつもりだ。女王もその程度で満足してくれよう。

第137話の解答

　いきなり2マスで考えるより，地雷を置くのが1マスだけだったら，ジョーカーはどうするべきかをまず考えよう。その場合，地雷を踏む確率は，地雷を置くマスが入り口から遠いほうが考えやすい。なぜなら，地雷の位置が入り口から遠くなるに従って"地雷"マスを踏む確率が一定値に収束するからだ。その収束値も簡単な推論でわかる。サイコロを振って進む量は1マスから6マスのどれかである。サイコロに歪みがないとすると，このどれになるかは均等ですべて1/6だと考えられる。ということは，サイコロを1回振って進む量の期待値は（1＋2＋3＋4＋5＋6)/6＝3.5マスである。つまり，何度もサイコロを振っていると，囚人が踏んでいくマスは平均で3.5マスに1つくらいということになる。もちろん，実際にどのマスを踏むかはサイコロ次第だが，サイコロは目を選んで出したりしないから，マスが入り口から遠くなればなるほど，そこを囚人が踏んで進む確率は1/3.5に近づく。というわけで，地雷を置くマスが入り口から十分遠ければ，囚人がそこを踏む確率は，どこもだいたい1/3.5≈0.2857くらいだとわかる。

　すると，入り口のすぐ近くに地雷マスを設定した場合との比較が問題ということになる。入り口から数えてnマス目に地雷を設置した場合にそこを囚人が踏む確率をP_nとしよう。$n＝1$のときは，サイコロが1を出せば囚人は地雷を踏むが，2以上を出せば危険地点を通過して安全になる。よって$P_1＝1/6≈0.1667$である。

　$n＝2$のときは，サイコロの出目が3以上なら安全になるが，2のときは地雷を踏むし，1のときは$n＝1$の場合と状況が同じになるから，$P_2＝(1＋P_1)/6≈0.1944$である。同様に

$$P_3＝(P_2＋P_1＋1)/6≈0.2269$$
$$P_4＝(P_3＋P_2＋P_1＋1)/6≈0.2647$$

$$P_5 = (P_4 + P_3 + P_2 + P_1 + 1)/6 \approx 0.3088$$
$$P_6 = (P_5 + P_4 + P_3 + P_2 + P_1 + 1)/6 \approx 0.3602$$

となる。$n \geqq 7$ のときは，サイコロの目は1から6までしかないので，どの目が出たかに応じて分類すれば，漸化式

$$P_n = (P_{n-1} + P_{n-2} + P_{n-3} + P_{n-4} + P_{n-5} + P_{n-6})/6$$

が成立することがわかる。よって，さらに計算を進めると

$$P_7 \approx 0.2536, \quad P_8 \approx 0.2681, \quad P_9 \approx 0.2804, \quad \cdots$$

となる。以後，P_n は上がり下がりしながらも，もう P_6 を超えることはなく，先の1/3.5に近づいていく。従って，地雷を置くのが1マスだけの場合は，入り口から6マス目に置くのがよくて，ジョーカーは囚人が地雷を踏む確率を最大の $P_6 \approx 0.3602$ にできる。次に地雷を置くとよいのは5マス目で，この場合の確率は $P_5 \approx 0.3088$ になる。

では，地雷マスが2つの場合はどうだろうか。この場合は，先の上位2マスに設置するとよさそうだ。2つの事象は独立でも排反でもないから，どちらかのマスを踏む確率が $P_6 + P_5 - P_6 P_5$ や $P_6 + P_5$ という式で計算できるわけではない。しかし，その確率としては和 $P_6 + P_5$ に近い値が期待できそうだ。実際，入り口から n マス目と $n+1$ マス目に連続して地雷が設置してある場合に地雷を踏む確率を Q_n とすると

$$Q_1 = (1 + 1 + 0 + 0 + 0 + 0)/6 \approx 0.3333$$
$$Q_2 = (Q_1 + 1 + 1 + 0 + 0 + 0)/6 \approx 0.3889$$
$$Q_3 = (Q_2 + Q_1 + 1 + 1 + 0 + 0)/6 \approx 0.4537$$
$$Q_4 = (Q_3 + Q_2 + Q_1 + 1 + 1 + 0)/6 \approx 0.5293$$
$$Q_5 = (Q_4 + Q_3 + Q_2 + Q_1 + 1 + 1)/6 \approx 0.6175$$

$$Q_6 = (Q_5 + Q_4 + Q_3 + Q_2 + Q_1 + 1)/6 \approx 0.5538$$
$$Q_7 = (Q_6 + Q_5 + Q_4 + Q_3 + Q_2 + Q_1)/6 \approx 0.4794$$

となる。5マス目と6マス目に地雷を置くと，最大確率$Q_5 \approx 0.6175$が実現でき，6マス目と7マス目に地雷を置いた場合の確率$Q_6 \approx 0.5538$より高い。実は，確率が2番目に高いのは4マス目と6マス目に地雷を置いた場合である。一般に入り口からmマス目とnマス目（$m < n$）に地雷が設置されている場合にそのどちらかを踏む確率は，Q_nを求めたときのような漸化式で順次計算しても求まるが，$P_m + P_n - P_m P_{n-m}$で計算できる。だから，これを使って先のQ_nを計算することもでき，その場合$Q_n = P_n + P_{n+1} - P_n P_1$である。$P_m P_{n-m}$が減じてあるが，それは囚人が$m$マス目の地雷を踏んだ後に（まだ命があったとして）その$n-m$マス先のもう1つの地雷を再び踏む（すなわち両方の地雷を踏む）確率である。だから，4マス目と6マス目の場合，どちらかを踏む確率は$P_4 + P_6 - P_4 P_2 \approx 0.5734$だ。

　最後の問題も十分予測はつくだろう。地雷を設置するのが1マスだけの場合は，入り口のすぐ次のマスに置くことで，踏む確率は最小の1/6となる。そこで，設置場所の1つを囚人が決めるなら，普通は1マス目がよいことになる。それに対してジョーカーは6マス目を選ぶだろうから，その場合に地雷を踏む確率は，$(1 + P_4 + P_3 + P_2 + P_1 + 1)/6$または$P_1 + P_6 - P_1 P_5$だ。どちらで計算してもよいが，だいたい0.4754である。もちろん，ジョーカーが選ぶのが6マス目だということが確実なら，囚人側も6マス目を選んで地雷を重ねてしまえば安全性は高まる。だが，ジョーカーが裏をかいて5マス目を選んだりすると悲惨なことになるから，それがよいかどうかは微妙な駆け引きだ。

第138話 みんなで操作するハリネズミロボット

トランプ王室でも機械化がドンドン進み，兵士たちの常の任務であるパトロールなどで人的資源の軽減が試みられている。その一案として，鏡の国の白の騎士が考案した例のハリネズミロボット（第119話，第122話，第124話）をパトロール用の補助機材として使うことが検討された。

ハリネズミロボットに赤外線小型カメラを搭載し，兵士が入り込めないような狭い場所や暗い場所などでのパトロールの一助にしようというのだ。ところが，実際の設計はなかなか大変だった。移動中にカメラの向きがクルクルと回転することのないようにするなど，白の騎士が慎重に工夫を重ね，先日ようやく試作機が1台完成した。

早速，スペードの兵士たちがクローケーグラウンドに出て，ジャックの指揮のもとでパトロール演習である。リモコンが1台だけでは不自由なので全員に持たせたところ，これがまた大変なことになった。

ジャックの指示など待たず，みなが勝手気ままに操作を始めたからたまら

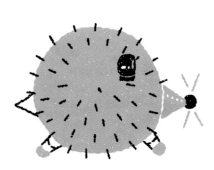

ない。ハリネズミはあちらこちらへと行ったり来たりした揚げ句，しまいにはどのリモコンからも制御が利かなくなって暴走し，藪に突っ込んで止まる始末だ。

そこでジャックは，自分（J）を中心にした半径rの円の周上に，10人の兵士たちを反時計回りで等間隔にエース

から10まで並べ，ハリネズミの操作は命令に従って順番にさせるようにした。
だが，ときおり自由にさせると，全員が我勝ちに一斉に操作を始めてハリネズ
ミが暴走してしまうことがあった。

　調べてみると，暴走は10台のリモコンから来る制御信号の強さが原因らし
しい。その信号の強さはなぜか10台のリモコンとハリネズミの間の距離の
積に反比例するようで，その積がある値より小さくなると制御信号が強くな

りすぎて，ハリネズミのタガが外れて暴走を始める。つまり，エースから
10までの兵士の位置をA_1，A_2，……，A_{10}とし，ハリネズミの位置をHと
すると，距離の積

$$P = \overline{A_1H} \times \overline{A_2H} \times \cdots \times \overline{A_{10}H}$$

がある一定値を下回ると，全員が一斉に操作したときにハリネズミが暴走す
る（$\overline{AB}$は点A，B間の距離を表す）。

　というわけで，ハリネズミがどこにいれば暴走の心配なくハリネズミ操作
を練習できるか，スペードの兵士たちに知らせたい。そのため，読者には上
式のPがHの位置によってどういう値になるかの計算をお願いしたい。例え
ば，ハリネズミがジャックからエースに伸びる半直線JA_1上にいて，ジャッ
クからの距離がhの場合，Pの値はいくつになるだろうか？

　また，H＝A_1，すなわち$h＝r$の場合は明らかに$P＝0$になるので，全員
がリモコンを操作するともちろんハリネズミは暴走するが，エースを除く全
員が操作したとして，$P' = \overline{A_2A_1} \times \cdots \times \overline{A_{10}A_1}$はいくつになるだろうか？

　さらに，ハリネズミの位置が，ジャックからの距離がhであっても，半直
線JA_1上ではなく角θだけずれている場合，すなわち$\angle A_1JH＝\theta$の場合，
$P = \overline{A_1H} \times \overline{A_2H} \times \cdots \times \overline{A_{10}H}$の値はどうなるだろうか？

第138話の解答

　条件から，兵士たちは正10角形の頂点にいて，ジャックはその中心にいることがわかるだろう。ジャックの位置Jを原点とし，エースA_1とを結ぶ直線をx軸にとれば，A_kの座標は$(r\cos(\pi(k-1)/5),\ r\sin(\pi(k-1)/5))$と書ける。だから，正攻法でこの問題にアプローチするなら，P'が一番とっつきやすいだろう。実際，$\overline{A_6A_1}$は円の直径だから$2r$だとすぐわかるし，他にも比較的計算しやすい距離もある。例えば，詳細は省くが

$$\overline{A_3A_1}=\overline{A_9A_1}=\sqrt{\frac{5-\sqrt{5}}{2}}\ r$$

である。計算に自信のある人は，他の$\overline{A_kA_1}$もこうして求めることで，P'にたどり着くのも面白いかもしれない。

　しかし，ここでは複素座標を導入するという少し別の方針でこれらの問題の攻略を試みることにしたい。Jを原点としA_1方向に実軸をとると，A_kの複素座標は

$$r(\cos(\pi(k-1)/5)+i\sin(\pi(k-1)/5))$$

となる。xy座標のときとさほど変わらないようにも見えるが，$\omega=\cos(\pi/5)+i\sin(\pi/5)$とおけば，ド・モアブルの公式により，$A_k$の座標は$r\omega^{k-1}$と簡潔に表現でき，しかもこれらの座標はどれも10乗するとr^{10}になるというのがミソだ。つまり，A_kの複素座標は$x^{10}-r^{10}=0$という10次方程式の10個の異なる解になっている。従って，因数定理により，$x^{10}-r^{10}$の因数分解

$$x^{10}-r^{10}=(x-r)(x-r\omega)(x-r\omega^2)\ \cdots\ (x-r\omega^9)$$

が得られる。最初の問題では，ハリネズミの位置Hの複素座標はhだから，$\overline{A_kH}=|h-r\omega^{k-1}|$である。よって，

$$P = |h - r| \times |h - r\omega| \times \cdots \times |h - r\omega^9|$$
$$= |(h - r)(h - r\omega) \cdots (h - r\omega^9)|$$

であり，因数分解の式に$x = h$を代入すれば

$$P = |(h - r)(h - r\omega) \cdots (h - r\omega^9)| = |h^{10} - r^{10}|$$

であることが簡単にわかる。

次の問題は，因数分解の式を変形して

$$(x - r\omega)(x - r\omega^2) \cdots (x - r\omega^9) = (x^{10} - r^{10})/(x - r)$$
$$= x^9 + rx^8 + r^2x^7 + \cdots + r^8x + r^9$$

となることに気づけば，$x = r$を代入して

$$P' = |r - r\omega| \times \cdots \times |r - r\omega^9|$$
$$= |(r - r\omega) \cdots (r - r\omega^9)| = \underbrace{|r^9 + r^9 + \cdots + r^9|}_{10\text{個}} = 10r^9$$

である。

最後の問題も，Hの複素座標$h(\cos\theta + i\sin\theta)$を因数分解の式の$x$に代入してド・モアブルの公式を適用すれば

$$P = |\{h(\cos\theta + i\sin\theta)\}^{10} - r^{10}| = |h^{10}(\cos 10\theta + i\sin 10\theta) - r^{10}|$$
$$= \sqrt{h^{20} + r^{20} - 2h^{10}r^{10}\cos 10\theta}$$

となる。

$\omega_n = \cos(2\pi/n) + i\sin(2\pi/n)$ を1の原始n乗根と呼び，$e^{2\pi i/n}$などと書いたりもするが，正n角形に絡む幾何の問題は，複素座標を使うと簡単に解け

ることがある。正n角形の頂点の座標がω_nを使えば簡単に表現できることと，ω_nにはn乗すれば1になること以外にも有用な性質がたくさんあるおかげだ。

例えば，先の因数分解の式は一般のnで成り立ち，

$$x^n - 1 = (x-1)(x-\omega_n)(x-\omega_n^{\ 2}) \cdots (x-\omega_n^{\ n-1})$$

である。このことから，1，ω_n，$\omega_n^{\ 2}$，$\cdots$，$\omega_n^{\ n-1}$のn次未満の基本対称式は0であることがわかる。また，$k=1$，2，$\cdots$，$n-1$について，$\omega_n^{\ j}$のk乗和

$$\sum_{j=0}^{n-1} \omega_n^{\ jk} = 1 + \omega_n^{\ k} + \omega_n^{\ 2k} + \cdots + \omega_n^{\ (n-1)k}$$

の値も0である。この事実の応用例として，$\overline{A_kH}$の積ではなく2乗和，$S_2 = \overline{A_1H}^2 + \overline{A_2H}^2 + \cdots + \overline{A_{10}H}^2$を求めてみよう。先と同様にJを原点としJA$_1$の方向に実軸をとった複素座標を考える。Hの複素座標をαとすると$\overline{A_kH} = |\alpha - r\omega^{k-1}|$だから，求める和は

$$S_2 = \sum_{k=1}^{10} |\alpha - r\omega^{k-1}|^2 = \sum_{k=1}^{10} (\alpha - r\omega^{k-1})(\overline{\alpha - r\omega^{k-1}})$$
$$= \sum_{k=1}^{10} (|\alpha|^2 - r\alpha\overline{\omega}^{k-1} - r\overline{\alpha}\omega^{k-1} + r^2)$$

である。上の式で$\overline{z}$はzの複素共役を表す。特に$\overline{\omega} = \omega^{-1} = \omega^9$である。$r$と$\alpha$は$k$によらない定数だから，真ん中の2項は総和をとると0になる。よって求める2乗和は$S_2 = 10 \times (|\alpha|^2 + r^2)$となり，円の半径$r$以外には，JとHの距離$|\alpha|$だけに依存することがわかる。

ついでにもう1つ応用を。平面上に直線lが引かれているとしよう。この直線と各兵士A$_k$との距離をd_kとするとき，その2乗和，$D = d_1^2 + d_2^2 + \cdots + d_{10}^2$はどうなるだろうか。この問題の場合，$l$からの距離を測るには，$l$を虚軸に

とり，正10角形の中心Jが実軸にのるように複素座標を定めるのが便利だ。このとき，一般に点Pの座標をαとするとPからlまでの距離dは$|(\alpha+\overline{\alpha})/2|$と書けるから

$$d^2=\left|\frac{\alpha+\overline{\alpha}}{2}\right|^2=\frac{1}{2}|\alpha|^2+\frac{1}{4}\alpha^2+\frac{1}{4}\overline{\alpha}^2$$

である。Jの座標をtとし，A_1の座標を$t+\alpha$とすると，A_kの座標は$t+\alpha\omega^{k-1}$で与えられ，$|\alpha\omega^{k-1}|=r$であるから，

$$d_k{}^2=\left|t+\frac{\alpha\omega^{k-1}+\overline{\alpha\omega^{k-1}}}{2}\right|^2$$
$$=t^2+t\alpha\omega^{k-1}+t\overline{\alpha\omega^{k-1}}+\frac{1}{2}r^2+\frac{1}{4}\alpha^2\omega^{2(k-1)}+\frac{1}{4}\overline{\alpha^2\omega^{2(k-1)}}$$

である。総和をとると，第1項と第4項以外は0になるから，

$$D=\sum_{k=1}^{10}d_k{}^2=10t^2+5r^2$$

となり，前問と同様，Dの値は，円の半径r以外には，直線lとジャックの位置Jとの距離$|t|$にのみ依存する。

第**139**話 いつまで続く? 変身ショー

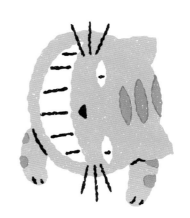

アリスが次の不思議の国と鏡の国の合同演芸会の出し物についてグリフォンと相談しながら宮廷内の公園を散歩していると，近くの花園や草むらが何やらちらちらする。以前もこのようなことがあったような……といぶかしんでいたら，案の定，頭上から「おーい，久しぶり！」という声が聞こえ，近くの枝の上にチェシャ猫の顔が口から徐々に現れた。さらに，チェシャ猫が「みんな，紹介するぞ。アリスとグリフォンだ」と呼びかけると，草や花に紛れて隠れていたカメレオンたちがぞろぞろと姿を現した。

見ると，いつもの赤，青，緑のカメレオン（第7話「みんな一緒に"緑"に変身！」，『パズルの国のアリス　美しくも難解な数学パズルの物語』参照）以外に黄色のカメレオンも交じっている。

「あれ，黄色にも変われるようになったんですね」とアリスが言うと，「うん，まあそうも言えるが，この子たちはウィルとは少し違う種族で，いとこ筋に当たるんだ」とチェシャ猫。

リーダー格の緑のカメレオンが進み出て，説明を引き継ぐ。「こんにちはアリスさん，僕はフィルって言います。僕たちには変われる色が生まれたときから4色あるんですが，ウィルくんたちと同じで少し不器用なところがあって，幼いうちは別々の色の3匹が集まって一斉に残りの色に変化することしかできないんです」と言って，赤と青のカメレオンを1匹ずつ呼び寄せた。

そして，3匹が手をつなぐと，一斉に黄色に変わった。

「それでまたみんなで同じ色になる練習ですか？」とアリスが問うと，「うん，それも考えたんだけど，うまくやるには各色の匹数の制限が強くてやりにくい」とチェシャ猫。「そこで，今考えているのは，全員が一列に並んで色違いの3匹並びが一斉に変身する。それを続けると，花火みたいに色がパッパッと変わって，ちょっと面白いショーになるだろう。実は，今度の合同演芸会の出し物にどうかなと思っているんだ。ところが実際やってみると，最初にどう並んで，どういう手順で進めても，やがて色違いの3匹並びというのがなくなってしまって，隣り合う2匹を入れ替えたりしないとショーが続けられなくなるみたいなんだ。何かうまいアイデアはないかな？」

それを聞いていたグリフォン，しばらくじっと考えていたが，やがて，はたと手を打ち，「そうか，全員が一列に並んでいるのが問題なんだ。両端をつないで輪のようにしてしまえばよい。見栄えの問題はあるが，これならうまくやれば色違いの3匹並びがなくなることはないから，好きなだけショー

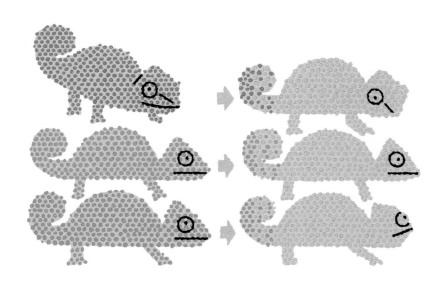

を続けられるよ」。

　このあたりで読者への問題である。全員が同じ色になるためには，チェシャ猫の言うとおり，各色の匹数に制限がある。まず，ウォーミングアップとして，この制限がどういうものかを考えていただきたい。それには前述の「みんな一緒に"緑"に変身！」が参考になるだろう。

　次に，グリフォンが言うように，全員がリング状に並ぶとこの色変わりショーをいつまでも続けることができるが，カメレオンが全部で16匹の場合，その具体的な色配置と色変わりの手順を考えていただきたい。

　最後の問題は，かなりの難問になると思うが，一列に並んでいる場合にはこの色変わりショーをいつまでも続けることができないことを証明してほしい。

第139話の解答

　最初の問題は，赤，青，緑の3色に黄色が加わって4色になったこと以外に第7話「みんな一緒に"緑"に変身！」と大きな差はないので，第7話の解答と類似のアイデアが適用できる。

　赤，青，緑，黄のカメレオンの匹数をそれぞれr, b, g, yとし，その状態を(r, b, g, y)と表記する。この状態から赤，青，緑の1匹ずつが一斉に黄色に変身したとすれば，新しい状態は$(r-1, b-1, g-1, y+3)$になる。注目すべきは，各色のカメレオン数の差の変化だ。青と赤の差は変身後も$b-r$と変わらない。黄と赤の差は$y-r$から$y-r+4$と4だけ増えている。差が変わらないか4だけ変化することは，どの2色であっても，また変身が赤，緑，黄から青へであってもいえる。従って，変身がどのように進もうと，どの2色をとってもカメレオン数の差はいつでも4の倍数しか変化しない。例えば，ある手順で全員が黄色になることができたとしよう。その結果は$(0, 0, 0, y')$と表記できるが，この状態が(r, b, g, y)から作られたとすれば$b-r \equiv g-r \equiv 0-0 = 0 \pmod 4$，つまり$b \equiv g \equiv r \pmod 4$が成り立っていなければならない。どの色でも全員が同じ色になる場合は，同様に他の色の匹数を4で割った余りがどれも等しくなることが必要である。

　この条件は完全な十分条件ではないが，最初にカメレオンが2色しかいないような特殊な場合を除いて，うまく手順を踏めば大概全員が同じ色になれるから，同色になるためのほとんど十分な条件といえる。詳細は読者自身で検討されたい。

　次の問題は16匹のカメレオンの配置と色変わりの手順を1つ構成するだけだから，試行錯誤で何とか解決できそうだが，ポイントがわかっていないと意外に面倒かもしれない。ここでは，いきなり配置を与えてしまおう。英語の頭文字をとって，R，B，G，Yがそれぞれ，赤，青，緑，黄を表すことにして，次のような色配置を考える。

RRYBBBRGGGBYYYGR

なお，左端と右端は輪になって隣り合っている。下線を引いてある部分が色違いの3色並びになっているが，これらの部分を一斉でも順次でもよいから，別の色に変化させると次のようになる。

RGGGBYYYGRRRYBBB

読者はこの新しい配置が最初の配置から6匹分左にずれたものでしかないことを確認されたい。従って，また同じように色変わりを行えば，さらに6匹分ずれた配置になり，この色変わりショーはいつまでも続けられることがわかる。

　この配置を得るうえでのポイントを説明するには，最後の問題と一緒に考えるほうが都合がよさそうだ。例によってこの種の問題は，不変量を考え出すことが課題になることが多い。同じ色の隣り合ったカメレオンの対を「同色ペア」と呼ぶことにする。n匹のカメレオンが一列に並んでいる場合は$n-1$対の，輪になっている場合はn対の同色ペア候補がいるが，同色ペアの数をPとすると，まずPが色変わりに関して非減少であることに気づくことが重要だ。左からk番目のカメレオンの色をC_kとし，$C_{k-2}C_{k-1}C_kC_{k+1}C_{k+2}$の$k$を中心として，色変えを行ったとしよう。当然$C_k \neq C_{k-1}$，$C_k \neq C_{k+1}$だから，新しい同色ペア（$k-1, k$）と（$k, k+1$）が2つできる。一方$C_{k-2} = C_{k-1}$あるいは$C_{k+1} = C_{k+2}$だった場合，同色ペアだった（$k-2, k-1$）と（$k+1, k+2$）が同色でなくなるから同色ペアは最大で2減り，他のペアは影響を受けない。従って，色変えによって同色ペアの数Pは非減少であるが，列の場合は最大で$n-1$個，輪の場合でも最大でn個しかペアは存在しないから，もしいつまでも色変えが可能だとしたら，どこかでペア数は最大値に達して，それ以上には増えなくなる。

　逆にいえば，色変わりをいつまでも続けるには，同色ペア数が最大値に達

した後，ずっとその最大値をキープし続けることが必要だ。上でみたように3匹並びが色変わりを起こすと，そこに新しい同色ペアが2組生じる。だから，同色ペアが増えないためには，その3匹並びの両脇の同色ペアが色変わりによって同色でなくなる必要がある。どの色変わりも常にこの条件を満たすように慎重に各色のカメレオンを配置して得られたのが先に述べた16匹の輪である。4色を対称的に配置できるから，16匹での構成が一番簡単とは思うが，もっと短い輪ではわずか6匹の構成のRRRBBGというのもある。これは変身できる3匹並びがいつも1カ所しかないので，色変わり手順に迷うことはないが，輪の長さが短すぎるし同時に見える色は3色だけなので，ショーとしての華やかさに欠けるかもしれない。他にも様々な長さの輪で構成が可能と思うので，見栄えのする美しいショーの検討は読者にお任せしよう。

　ところで，輪でなくて列の場合に色変えをいつまでも続けられないのはどうしてだろうか。それは，もちろん左端と右端がつながっていないので，$C_{n-1}C_nC_1$や$C_nC_1C_2$などの色変えが不可能だからであるが，その事情を説明するには同色ペア番号の2乗和をもう1つの不変量として持ちだすのが簡単なようだ。ペアの数が最大に達してから後を考える。ペアの左のカメレオンの番号をペアの番号として，その2乗の総和をSとする。ペアの数はもう増えなくなっているから，ある色変えで$k-1$番とk番が同色ペアになったとしたら，$k-2$番と$k+1$番が同色ペアから外れているに違いない。

$$(k-1)^2 + k^2 - (k-2)^2 - (k+1)^2 = -4$$

だから，Sは色変えのたびに4減少する。2乗の和だからSは正の値しかとれないが，いつまでも色変えが続くようなら，Sは負の値になってしまい矛盾する。

　アリスが久しぶりに鏡の国の白の騎士を訪ねようと彼の工房にやって来た。中から声がするのでこっそりと覗き込むと，大工とセイウチが来ていて，何やら3人で議論している。

　白の騎士が言う。「うーむ。そんな奇妙な条件を満たすのは，正多面体では正八面体だけか……。確かにそれ以外の形もいろいろあったほうが面白いな。他には面倒な条件はないんだろう？　じゃあ，別の形の多面体で条件に合致するものがいくらでもありそうな気がするがな」。

　それに答えて大工が言う。「いや，俺もそう思った。そこで，セイウチにも手伝ってもらっていろいろと試作してみたのだが，これが意外に難しい。お茶の子さいさいというようにはいかんのだ」。隣りでセイウチが「そうだ，そうだ」と言わんばかりに大きくうなずいている。

　アリスが覗き込んでいるのに気がついた白の騎士が「おお，ちょうどいい。キミも知恵を貸してくれ」と声をかけてきた。何事かとキョトンとしているアリスを見て，「我が鏡の国の博物館には，もちろんのことだが，いろんなものが展示してある。特に我が国の工芸技術の高さは国民の誰もがちょっと自慢したくなる水準で，特に球体の製造・研磨技術にはチェス王室からも国の誇りとして大きな期待がかけられている」と白の騎士が説明を始めた。そういえば，前に白の騎士と大工が作ったという純金球の模造品を見せてもらったことがあったのをアリスは思い出した（第103話「展示台の設計」，『ハートの女王とマハラジャの対決　パズルの国のアリス3』参照）。

　「以前見せた模造球もそうだが，他にも，占い師が使いそうな大きな水晶玉，

ビリヤードボールなど完璧な球形を売りにしている品々が博物館に展示され
ている。ところが，球形のものがあまりに増えてしまったので，博物館は一
部を常設展示から外し，ケースに入れて倉庫に保管しておくことにしたんだ」
と白の騎士。

　大工が口を挟む。「そういうものをただ倉庫に転がしておくわけにはいか
んので，ひとつずつ入れておくケースを作ってくれという依頼が博物館から
俺たちに来たってわけさ。ケース自体が転がっては困るので，ケースの形状
は多面体。また，ケースの中で球体が滑ったり転がったりして傷がついても
困るので，多面体の各面は球体に接することが条件だ」。

　「それなら立方体のケースに限るわ」とアリスは思ったが，もちろん大工
たちも同じように考えたらしい。「そういうことなら正多面体がいいとセイウ
チも俺も思ったよ。で，試作品を作って博物館に納品したんだ。立方体ケー
スだけだと能がないと言われそうなので，他の正多面体のケースも全部作っ

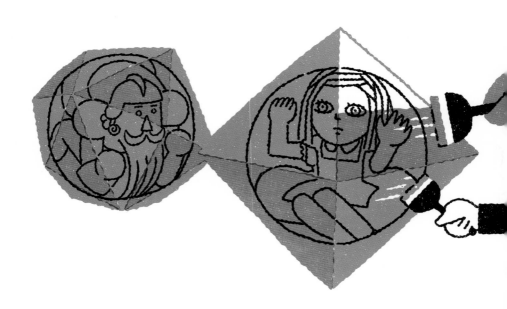

てね。そこまではいいのだが，博物館のやつら，どうせならケースも綺麗な
ほうが面白いと思ったのか，ケースの各面を赤と青の2色で塗り分け始めた。
しかも隣り合う2つの面の色が同じにならないようにという条件つきでだ。
やってみればすぐにわかるが，その場合に合格するのは正八面体だけだ。い
ろいろ提案したのに採用されたのが1種類だけというのは悔しいので他の形
の多面体はないかと思って白の騎士に相談してたんだ」。

　もうおわかりだろう。読者に一緒に考えていただきたいのは，博物館側の
要請を満足する多面体である。つまり，一言でいうなら，球に外接し，かつ
隣り合う面が同色にならないように各面を赤と青で塗り分けられる多面体だ
（同色の2つの面が頂点で接するのはかまわない）。これを満たす正多面体は
正八面体以外にはない。しかし，単に多面体という条件ならば，例えば，立
方体の各面の中心を少し持ち上げた形の三角形24面からなる立体（四方六
面体と呼ばれる）など，条件を満たす多面体は他にもたくさん存在する。こ

れらの多面体のどれもが三角形の面を最低
でも8つ持つこと，つまり正八面体は条件
を満たす多面体では最も簡単な部類に属す
ることを読者は証明できるだろうか？　ヒ
ントは「オイラーの多面体定理」とだけ言
っておこう。

　また，これらの多面体の各面を条件を満
たすように赤と青に塗り分けたとき，赤に
塗られた面の総面積と青に塗られた面の総
面積は必ず等しくなることを証明できるだ
ろうか？

第140話の解答

　最初の問題だが，実は「多面体が球に外接する」という条件は証明には不要である。つまり，隣り合う面が同色にならないように2色に塗り分けられる多面体は必ず三角形の面を8つ以上持つことが証明できる。まず気がつくべきは，多面体のどの頂点も偶数個の面が集まって構成されていなければならないということだ。それがなぜかは明らかだろう。奇数個の面が集まっている頂点があれば，その頂点を囲む面を2色に塗り分けていくとき，赤で始めれば，青-赤-青-赤と続き最後は赤となるので，赤の面が隣り合うことになる。

　もう1つのポイントはオイラーの多面体定理だが，これは，適当なトポロジーの教科書を参照すれば証明も含めて必ず載っているし，ネット検索をしても簡単に見つかるので，内容だけを簡単に述べることにしよう。「任意の（穴のない）多面体において頂点，面，辺の数をそれぞれv, f, eとすると，いつでも$v+f=e+2$が成り立つ」というものである。

　さて，2色に塗り分け可能な多面体があったとして，各頂点の次数（その頂点に集まる辺の数）をd_1, d_2, ……, d_vとしよう。それらをすべて足すと，各辺を2度ずつ数えることになるから，$d_1+d_2+\cdots+d_v=2e$が成り立つ。また，各面を構成する辺の数をs_1, s_2, ……, s_fとし，それらをすべて足すと，こちらも各辺を2度ずつ数えることになるから，$s_1+s_2+\cdots+s_f=2e$が成り立つ。よって，

$$d_1+d_2+\cdots+d_v+s_1+s_2+\cdots+s_f=4e$$

だ。一方，オイラーの多面体定理より，$4v+4f=4e+8$だが，この2つの式の差をとると

$$(d_1-4)+(d_2-4)+\cdots+(d_v-4)+(s_1-4)+(s_2-4)+\cdots+(s_f-4)=-8$$

が得られる。ここで左辺だが，最初に注意したように各頂点に集まる面の数

は偶数だし，もちろん2面だけということもないから，d_i-4はすべて0以上だ。従って，もし面がすべて四角形以上であればs_j-4もすべて0以上となり，右辺が負の値であることに矛盾する。実のところ，一角形や二角形というのは存在しないから，s_j-4が負になるのは，$s_j=3$の場合だけであり，そのようなjが最低でも8つないと上式の両辺は一致しない。実際，すべての頂点の次数が4であり，8枚の三角形だけで構成される多面体が，2色に塗り分け可能な多面体のうちで一番簡単なものであり，正八面体がそれに該当する。

　次の問題は，条件を満たすように2色に塗り分けたときに，2つの色の面積の総和が等しくなるという証明だが，この2次元版が成り立つから，そちらを見てもらうのが参考になるかもしれない。右図のように円Oに多角形が外接しているとする。

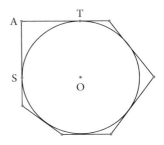

　これが偶数角形であれば，同色の辺が隣り合わないように各辺を赤と青に塗り分けできるが，このとき，赤の辺の長さの合計と青の辺の長さの合計は等しくなる。なぜなら，多角形の1点，例えばAに着目し，Aから延びる2辺が円Oと接する点をS，TとするとASとATの長さは等しく色は異なる。よって，多角形のすべての頂点でこれを考えれば，その全長は多角形の周長と同じになり，赤と青の辺の長さの合計はちょうど半々になる。

　これは3次元で考えても同じで，多面体が球Oに外接していることが重要だ。多面体の任意の辺ABを考えよう。ABの両側には2つの面があるが，どちらもOに接しているからその接点をS，Tとする。ここで，少し考えれば三角形ASBと三角形ATBが合同だとわかる。だからその面積は等しく，辺ABで隣り合っているから，色は異なる。同様に多面体のすべての辺でこれらの三角形を考えれば，それは多面体の各面の分割になっており，その総和は多面体の表面積に等しい。よって，赤と青の面積もちょうど半々である。

第**141**話 | 少しそそっかしい
"アマビエ"

　第27話「スペード兵士間のインフルエンザ感染」で触れたように，不思議の国も鏡の国も疫病に無縁ではない（『パズルの国のアリス　美しくも難解な数学パズルの物語』参照）。むしろこれらの国のインフルエンザウイルスは感染力がむちゃくちゃ強く，感染者と鉢合わせすると瞬時にうつってしまうほどだが，大きな流行に至らないのは，ウイルスの構造が簡単でワクチンを作りやすいからだ。わずか2つの正の整数 m, n（$m \leqq n$）だけでウイルスの型は特定され，（m, n）型のワクチンがあれば，その型のウイルスによる流行は抑えられる。しかも，これらの国にも「アマビエ」のような神様

（あるいは妖怪？）がいて，ウイルスの型がわかればたちまちワクチンを作って普及させてくれるのだ。

　ある日，スペードのエースが喉に少し違和感を感じ，診察してもらおうと「不思議の国病院」を訪ねると，妙に院内に落ち着きがない。近くにいるスタッフに尋ねると，この冬はあちこちで疫病が同時流行していて，ワクチンの神様も大忙しということだ。とても不思議の国ばかりにかかずらっていられないので，ワクチンの神様は医療関係者に奇妙な機械を提供して，自力でなんとかするよう促したという。

　神様いわく「ここにインフルエンザワクチン合成マシンがある。このマシンができることは，次の（A）〜（D）の4つだ。

　（A）サンプルワクチンを複製したり，サンプルと同じワクチンを量産する。
　（B）(m, n) 型サンプルワクチンから $(m+1, n+1)$ 型サンプルを作る。例えば $(3, 17)$ 型から $(4, 18)$ 型を作る。
　（C）m と n が偶数の場合に (m, n) 型サンプルワクチンから　$(m/2,$

$n/2$）型サンプルを作る。例えば（6，34）型から （3，17）型を作る。

　（D）2つのサンプルワクチンの型に共通の数値がある場合， その共通の数値を除いた数値を型に持つサンプルを作る。例えば（3，17）型と（17，25）型から（3，25）型を作る。

　このマシンとともにサンプルワクチンを1つおいていくので， もしインフルエンザ感染者が出たら， その型を速やかに調べ， 適合するワクチンをこのマシンで合成・量産し， 万全の態勢で予防にあたってほしい」。

　これだけを指示して， ワクチンの神様はそそくさと感染がもっと深刻な別の国へ旅立ったらしいのだが， ややそそっかしい神様で， 医療関係者は困ってしまった。というのは， ウイルスの型を特定することは自分たちでできるが， 神様がマニュアルをおいていってくれなかったので， ウイルス型に適合するワクチンをサンプルから合成する手順がよくわからないからだ。

　そこで， スペードのエースだけでなく， 読者にも助けをお願いしたい。まず， ウォーミングアップとして， 仮に神様がおいていったサンプルワクチンが（3，17）型だったとしよう。このサンプルから（10，31）型を作るにはどうすればよいか考えていただこう。この問題は， いろいろ試してみればなんとかなりそうだが， あまり簡単ではないかもしれない。

　次の問題として， 神様がおいていったサンプルワクチンがどんな型であろうと任意のmについて（m，m）型ワクチンを作ることができるので， それを証明してほしい。

　そもそも神様がおいていったマシンとサンプルワクチンは完全なのだろうか。つまり， 任意のm，n（$m \leqq n$）について（m，n）型ワクチンを作ることができるかを最後に検討していただきたい。おいていったサンプルが（a，b）型だった場合， どのような型なら合成でき， どのような型は合成不可能なのか， a，bとの関係で述べることができるだろうか？

第141話の解答

一般に操作（B）をk回繰り返すことで(m, n)型のサンプルから$(m+k, n+k)$型を作れることは明らかだから，そのワクチン合成操作を

$$(m, n) \overset{(\text{B})}{\to} (m+k, n+k)$$

のように記すことにする。他の操作も同様に記す。

すると，最初の問題，$(3, 17)$型のサンプルから$(10, 31)$型を作るにはいろいろな手順があるが，例えば，まず

$$(3, 17) \overset{(\text{B})}{\to} (10, 24) \overset{(\text{C})}{\to} (5, 12) \overset{(\text{B})}{\to} (24, 31)$$

とするのがわかりやすいだろう。ここまで来れば，途中で作った$(10, 24)$を複製しておき

$$(10, 24) + (24, 31) \overset{(\text{D})}{\to} (10, 31)$$

で$(10, 31)$型のサンプルが完成する。

次に神様のおいていったサンプルがどんな型(a, b)であろうと，(m, m)型のワクチンが作れることの証明だが，これはもっと簡単だ。$a \leqq 2^k$なるkを定め

$$(a, b) + (a, b) \overset{(\text{D})}{\to} (a, a) \overset{(\text{B})}{\to} (2^k, 2^k) \overset{(\text{C})}{\to} (1, 1)$$

により$(1, 1)$型のサンプルを作る。あとは，必要なだけ（B）を繰り返せば，(m, m)型のサンプルができる。

しかし，どんな型 (a, b) のサンプルからも任意の型 (m, n) が作れるかというと，答えはノーだ。例えば $(3, 17)$ 型だけからでは，どんなに工夫しても $(1, 2)$ 型は作れない。逆に $(1, 2)$ 型からは任意の型が作れるのだが，まず，この事実を一般化した次の補題から出発しよう。「$(a, a+c)$ 型のサンプルがあれば，任意の正の整数 m，d について $(m, m+dc)$ 型が作れる」というものだ。このことから，$c=1$ であれば，任意の型が作れることは明らかだろう。さて，この補題の証明だが，$a \leqq 2^k$ とすると

$$(a, a+c) \overset{(\mathrm{B})}{\to} (2^k, 2^k+c) \overset{(\mathrm{B})}{\to} (2^k+c, 2^k+2c)$$

である。よって

$$(2^k, 2^k+c) + (2^k+c, 2^k+2c) \overset{(\mathrm{D})}{\to} (2^k, 2^k+2c)$$

$$\overset{(\mathrm{C})}{\to} (2^{k-1}, 2^{k-1}+c) \overset{(\mathrm{B})}{\to} (2^{k-1}+c, 2^{k-1}+2c)$$

である。この操作を繰り返すことで $i=k-1$，$k-2$，$\cdots$，0 に対して次々に $(2^i, 2^i+c)$ 型が作られ，最終的に $(1, 1+c)$ が得られる。さらに

$$(1, 1+c) \overset{(\mathrm{B})}{\to} (1+c, 1+2c) \overset{(\mathrm{B})}{\to} (1+2c, 1+3c)$$

$$\overset{(\mathrm{B})}{\to} \cdots \overset{(\mathrm{B})}{\to} (1+(d-1)c, 1+dc)$$

だから，中間生成のサンプルのペア $(1+(i-1)c, 1+ic)$ と $(1+ic, 1+(i+1)c)$ の複製に次々に操作 (D) を行えば，$(1, 1+dc)$ ができ，あとは操作 (B) を $m-1$ 回行うことで $(m, m+dc)$ が作れる。
　また $(a, a+2c)$ 型のサンプルからは

$$(a,\ a+2c) \xrightarrow{\text{(B)}} (2a,\ 2a+2c) \xrightarrow{\text{(C)}} (a,\ a+c)$$

により $(a,\ a+c)$ 型ができる。これを何度も繰り返すことで，$(a,\ a+2^n c)$ 型から $(a,\ a+c)$ 型ができるので，先の補題と合わせると $(a,\ a+2^n c)$ 型のサンプルからは，任意の m と d について $(m,\ m+dc)$ 型を作ることができる。

　以上より，$(m,\ n)$ 型のワクチンを $(a,\ b)$ 型のサンプルから合成するには，$n-m$ の値が重要であり，$b-a$ を割り切る最大の奇数を c とするとき，c が $n-m$ の約数であれば合成できることが示された。実は，これは $(a,\ b)$ 型のサンプルだけから $(m,\ n)$ 型ワクチンが合成できるための必要条件でもある。それを証明するのは，条件が明確になってみれば簡単だ。(B)，(C)，(D) の操作の材料となる型 $(x,\ y)$ すべてについて $y-x$ が奇数 c を約数に持つという条件を満たすなら，操作の結果，新たに得られる型 $(x',\ y')$ についても $y'-x'$ が c を約数に持つという条件を満たすことを示せばよい。実際，$(x,\ y)$ から操作 (C) によって $(x',\ y')$ が作られるなら，$x=2x'$，$y=2y'$ だから $y-x=2(y'-x')$ であり，これが奇数 c を約数に持つなら，$y'-x'$ も同じ奇数 c を約数に持たねばならない。操作 (B)，(D) についても同様である。例えば，神様がおいていったサンプルが $(3,\ 17)$ だった場合，$17-3=14=2\times7$ だから，$(10,\ 31)$ は $31-10=21=3\times7$ により合成できるが，$(10,\ 20)$ は合成できないことになる。

　さらにいえば，神様がおいていったサンプルが複数あった場合，それらを $(a_1,\ b_1),\ \cdots,\ (a_p,\ b_p)$ とすれば，$(m,\ n)$ がそれらのサンプルから合成できるための必要十分条件は，$b_1-a_1,\ \cdots,\ b_p-a_p$ の最大の奇数の公約数 c が $n-m$ の約数となることである。

第142話 怠け者3人組の コーカスレース

　ドードー鳥たちが中心になって，またコーカスレースが開催された。アリスはレース自体には参加しないが，主催者に招待されてレース会場にやって来た。入賞者への賞品をアリスが出すことがいつの間にか定着してしまったのだ。今回のコーカスレースのやり方は特に変わったところはなく，決まった周回コースを参加者が好きなペースでぐるぐると回るだけだ。レースがいつ終わり，勝者をどうやって決めるのかは相変わらずさっぱりわからない。

アリスがコース途中の表彰台が設置された地点に来てみると，今まさにレースの真っ最中であり，ネズミや小鷲，アヒルなどの常連たちが次々に通過していく。汗をかきかき，フラフラになりながらも，頑張って走っていく者もいる。

お茶会3人組が参加しているという噂を小耳に挟んでいたので，アリスは周囲にいるやじ馬に3人の状況についてそれとなく聞いてみた。スピードが要求されるレースでないのはよくわかっているが，それにしても3人とものんびりしたもので，コースを一定のペースで散歩しているかのようにゆっくり巡っているという。コース1周を三月ウサギは40分，ヤマネは50分，最大の怠け者の帽子屋となると60分もかけてデレデレと歩いているようだ。

アリスはあきれはしたものの，3人を応援しようと，とりあえず表彰台の前に陣取って通過を待つことにした。3人のうち誰が最初に自分の前を通過するのか楽しみだ。

今，3人がコース上のどこにいるかについてまったく情報がなく，コース上のどこにいる可能性もまったく均等であるとしたら，アリスの前を最初に通過する可能性が最も高いのは，速度から考えて，三月ウサギで，最も低いのは帽子屋であるに違いない。読者には，最初に通過するのが三月ウサギである確率がどのくらいかを計算してほしい。また，最初に通過するのがヤマネ，あるいは帽子屋である確率はそれぞれどのくらいだろうか？

この問題にいきなり挑戦するのは難しいとお考えの読者は，ウォーミングアップとして，三月ウサギとヤマネの2人だけの場合について，三月ウサギがヤマネより先にアリスの前を通過する確率を考えてみるとよいかもしれない。

第142話の解答

　まずウォーミングアップ問題から考えよう。明らかに三月ウサギは40分以内にアリスの前を通過する。ではヤマネはどうだろうか。ヤマネが1周するのに要する時間は50分だから、アリスから見て周回コースの4/5より遠方の地点にまだいるならば、決して40分以内にアリスの前を通過することはない。逆に4/5より近くにいるなら、三月ウサギとヤマネのどちらが先にアリスの前を通過するかは、まったくの五分五分である。従って、ヤマネが三月ウサギより先に通過する確率は4/5×1/2＝2/5である。反対に三月ウサギが先に通過する確率は1－2/5または1/5＋4/5×1/2で計算でき、3/5である。

　一般にAとBの1周に要する時間がそれぞれa, bで$a ≧ b$のとき、AがBより先にアリスの前を通過する確率は$b/2a$であり、反対にBが先に通過する確率は$1－b/2a$である。例えば三月ウサギと帽子屋を比べるなら、帽子屋が先に通過する確率は40/（2×60）＝1/3で、三月ウサギが先に通過する確率は2/3である。

　しかし、三月ウサギがヤマネと帽子屋の両者より先にアリスの前を通過する確率は、両方の確率をかけて3/5×2/3＝2/5でよいかというと、そうではない。この2つの事象が独立ではないからだ。

　ヤマネが周回コースの4/5よりアリスに近いところにいるという事象をD、帽子屋がコースの2/3よりアリスに近いところにいるという事象をHとしよう。この2つの事象なら、三月ウサギがどこにいるかとは無関係だから、独立といえよう。DとHが同時に起こっている場合（確率：4/5×2/3＝8/15）、3人全員がアリスのところまで40分以内の距離にいるから、誰が最初にアリスの前を通過するかの確率はそれぞれ1/3である。Hの余事象（帽子屋がコースの2/3よりも遠くにいる）とDが同時に起こっている場合（確率：4/5×1/3＝4/15）、アリスの前を最初に通過するのが帽子屋である可能性は

なく，三月ウサギかヤマネだが，そのどち
らになるかは五分五分だ。Dの余事象とH
が同時に起こっている場合（確率：1/5 ×
2/3 = 2/15），アリスの前を最初に通過する
のは三月ウサギか帽子屋であり，そのどち
らになるかは同様に五分五分だ。Dの余事
象とHの余事象が同時に起こっている場合
（確率：1/5 × 1/3 = 1/15），アリスの前を
最初に通過するのは確実に三月ウサギで
ある。

　結局，3人のうち三月ウサギが最初にアリスの前を通過する確率は，これ
らの条件下の確率の合計で，8/45 ＋ 2/15 ＋ 1/15 ＋ 1/15 = 20/45 = 4/9であ
る。また，ヤマネが最初になる確率は8/45 ＋ 2/15 = 14/45であり，帽子屋
が最初になる確率は8/45 ＋ 1/15 = 11/45である。

　比較する走者がさらに多くなった場合や，各自の周回速度が違った値の場
合も同様に考えて計算できるが，それは読者にお任せしよう。

第143話 ヤマネの姪たちの大学訪問

　ヤマネの7匹の姪たちにとって楽しみな日がやって来た。好奇心が強く,向学心が旺盛な姪たちにとって,大学とはどんなところか,どんな内容の授業をどんな学生たちに対してどんなふうにやっているかは大きな関心事である。親しくしているグリフォンに相談したところ,グリフォンは例の無限匹の学生がいるモグラ国のモグラ大学に話をつけてくれた。なんと,姪たちの向学心に感心した学長が授業の参観を特別に許してくれたのだ。

　学生が無限匹いるといっても,1匹の教員が無限匹の学生に対して巨大な

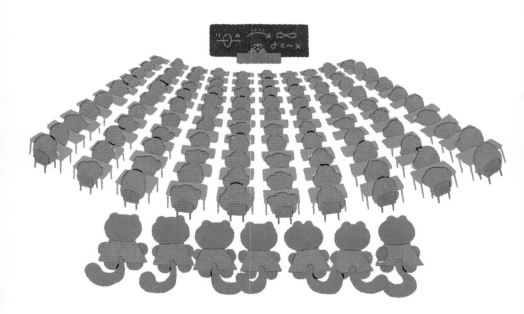

教室で講義を行うというわけではなく，姪たちが参観を許された教室では，100匹の学生が10行10列に並んだ机を前にして座っていた。

　ところが実際に授業を見学してみるとがっかりである。さすがに講義の内容は姪たちにはちんぷんかんぷんだったが，それよりも，教員の熱意のなさはあきれ返るばかりで，話のあまりの退屈さに，せっかくの機会にもかかわらず，姪の何匹かは思わずうとうとするほどだった。どうやら，内容がわかっているかどうかはともかく，学生たちにとっても退屈さの点では大差ないらしく，机に突っ伏して眠っている学生が大半で，講義が終わったときには，起きている学生がちらほらと何匹かいるだけだった。

　参観後，グリフォンに感想を聞かれたサンデイが言う。「ひどいわね。大学生なんてどこの世界でもこんなものなのかしら。数えてみたら，講義が終わったときに起きていた学生は10匹だけよ」。マンデイも言う。「起きていた学生どうしが前後か左右に隣り合っているペアは，最後には一組もなかったわ」。

　「でも妙なものね。眠りというのはうつるのかしら。ずっと見てたけど，起きている学生が眠ってしまうのは自分の前後か左右に隣り合う学生のうち少なくとも2匹が眠っているときだけよ。逆に眠っている学生であっても，自分の前後か左右に隣り合う学生のうち少なくとも2匹が起きている場合は，目を覚ますことがあったわ」とチューズデイ。「それ以外の場合には学生たちが状態を変えることはなかったし，2匹以上の学生が同時に状態を変えることもなかったわね」。

　それを聞いてグリフォンが言う。「ふーむ。よく観察していたね。きみたちの話からわかることがあるぞ。きみたちが参観を始めたときには少なくとも10匹以上の学生が起きていたってことだ」。読者には，このグリフォンの言葉の根拠を考えていただきたい。

第143話の解答

　この問題は，10×10＝100匹の学生だけで考えるより，その周りにダミーの学生たちをぐるっと配置して12×12＝144匹で考えるほうが話が簡単になりそうだ。ただし，このダミーの学生たちは，姪たちが参観を始めたときに眠っていたとしよう。すると，問題の条件より，ダミー学生は講義中一度も目を覚ますことなく，ずっと眠り続けていることになる。

　さて，もとの100匹の学生たちの場合に起こりうる状態変化は，ダミー学生を含めた144匹の場合でも起こりうることに注意していただきたい（もちろん，この逆は正しくなく，例えば，目覚めていた端の学生がダミー学生の影響で眠ってしまうということが144匹の場合には起こりうる。だが，たまたまそうはならなかったと考えればよい）。

　問題を考えるうえでカギとなるのは，異なる状態で前後か左右に隣り合っている学生ペアの総数である。隣り合った学生ペアで，眠っているか目覚めているかの状態が一致しているペアを「ホモペア」，状態が異なっているペアを「ヘテロペア」と呼ぼう。「講義終了時に10匹の学生が起きていた」というサンデイの証言と「それらの学生で前後か左右に隣り合っている者は一組もなかった」というマンデイの証言を合わせると，講義終了時の段階でヘテロペアは40組だったことがわかる。なぜなら，起きていた学生それぞれの隣には（ダミー学生も含めて）4匹の寝ている学生がいたわけだから。

　次に，ある学生が状態変化を起こす前と後で，このヘテロペアの数がどう変わるかを考えよう。チューズデイの証言にあるように「2匹以上の学生が同時に状態を変化させることはなかった」ということから，ある時点でヘテロからホモ，あるいはホモからヘテロに変化する可能性があるペアは，そのときに状態変化を起こした学生を中心とする4組だけである。

　これもチューズデイの証言にあるように「起きていた学生が眠ってしまうのは，その周囲（前後および左右）に眠っている学生が2匹以上いるときだ

け」なので，その学生が眠りに落ちることで，少なくとも2組のヘテロペアがホモペアに変わる。一方，ホモペアのうちヘテロペアに変わるのはたかだか2組だ。

また，「眠っていた学生が目を覚ますことがあるのは，その周囲に起きている学生が2匹以上いるときだけ」なので，その学生が目覚めることで，少なくとも2組のヘテロペアがホモペアに変わり，たかだか2組のホモペアがヘテロペアに変わる。

いずれにせよ，学生が状態変化を起こしたときの前後で，ヘテロペアの数が増えることはありえない。

このことは講義中，一貫しているので，講義中のどの時点であってもそのときのヘテロペアの数が講義終了時のヘテロペアの数，40よりも少ないことはない。もし，参観開始時に起きていた学生数が9匹以下であったとしたら，それらの学生がどこに座っていたとしてもヘテロペアの数はたかだか36にしかならない。これがグリフォンの言葉の根拠だ。

第**144**話 | ピンポン島 訪問記

　アリスにとって，不思議の国や鏡の国に行くことはいまや日常的な楽しみになっている。それらの国で起こる珍事に巻き込まれるのも楽しいが，チェシャ猫がその特殊能力を使って時おり連れていってくれる他の国を訪問するのは，もっと新鮮でわくわくする。

　今回，チェシャ猫に連れられて訪ねたのは，近隣から「ピンポン島」と呼ばれている島国である。島を歩きながらチェシャ猫が言う。「この島には2つの民族が暮らしていて，一方をピン族，他方をポン族という。歴史的には違う民族らしいんだけど，とても仲が良くて，文化や人種的特徴などもほとんど違わない。言葉なんかも我々が使っているのが完全に通じるし，日常的に交流があって和気あいあいとやっていて，喧嘩をしているところなど見たことがないくらいだ」。

　「素晴らしいですね。あたしの母国の英国なんかは，ゲルマン系だのケルト系だのいろいろな民族がいて結構大変なのはわかるんだけど，言葉はおおむね英語が通じるわけだから，いろんな民族が仲良くやっていけるといいんだけど」とアリス。

　「どこでもそううまくいくというわけにはいかないさ。実はピンポン島も何も問題がないというわけではない。言葉は通じると言ったけど，1点だけ重要な違いがある。質問に対して『はい』と答える代わりにピン族の人は『ピ

172

ン』と言うし，ポン族の人は『ポン』と言うんだ。『いいえ』の場合，その逆になる。ピン族の人は『ポン』で，ポン族の人は『ピン』だ」

「ええっ！　それでは誤解が生じて困るでしょう？」とアリス。

チェシャ猫が言う。「実は島民どうしでは，だれがどちらの民族に属するかを知っているから，あまり困ることがないようだ。俺たちよそ者にとっては困ったものだがね。それに島民たちは，離島に住んでいるせいか，よそ者に対しては実に警戒心が強くてシャイだから，あまり打ち解けてこない。決してウソはつかないけど，質問には『ピン』か『ポン』で答えられるもの以外はめったに答えてもらえないし，あまり何度も質問するといやな顔をされる。それでも俺は慣れて質問のコツがわかってきたけどね」。

歩いていくと，道が2手に分かれている。分岐点の近くで1人の島民が休んでいることに気づいたチェシャ猫は，「ちょうどいい。質問の練習だ。分かれ道の一方は港に通じているはずだけど，あの人に1回だけ質問して，どっちの道が港に通じているか，聞き出してごらん」とアリスに言う。

読者にはまずウォーミングアップとして，どのような質問をすればよいか
をアリスにアドバイスしてほしい。もちろん，質問は「ピン」か「ポン」で
答えられるものであり，その島民がピン族かポン族かは見た目からはわから
ない。

　この課題を何とかクリアしたアリスは，チェシャ猫とともに無事に港に到
着したが，そこでは何かの祭りが行われているらしく，島民が16人，輪に
なって火の周りを囲んでいた。それを見たチェシャ猫は，何を思ったのか，
島民の輪に近づいてその1人をつかまえ，「右隣の人はピン族ですか？」と
聞いた。

　その答えを聞くや否や，チェシャ猫はその当の右隣の島民に向かって同じ
質問をした。こうして，次々に右隣に移りながら，同じ質問をしていった。
それぞれの答えが「ピン」なのか「ポン」なのかアリスにはよく聞こえなか
ったが，15人目の答えを聞いた後，チェシャ猫は最後の1人には何も聞かず
に納得した顔でアリスのところに戻ってきた。

　「どうして最後の人に同じ質問をしなかったのですか？」とアリスが尋ね
ると，チェシャ猫は「誰もウソをつかないのだから，最後の人の答えは，聞
かなくともわかるさ」と当たり前のように答える。さらに続けて，「それより，
彼らの答えから，俺には，彼らのうち何人がピン族で何人がポン族かわかっ
たよ。君にはわかったかね」と言う。

　「ええっ」と仰天したアリスが，「でも，あたしには返事がよく聞こえなか
ったから」と言い訳すると，チェシャ猫は「そんなことは今回に限ってはあ
まり重要ではないんだ」と言って，「でも，最初の12人の答えは『ピン‐ピ
ン‐ピン‐ポン‐ピン‐ピン‐ポン‐ピン‐ピン‐ピン‐ポン‐ピン』だったよ。
ついでに聞くけど，最後の3人の答えが何だったかわかるかい？」と続ける。

　読者には，この一連のチェシャ猫の課題に，アリスと一緒に取り組んでい
ただきたい。

　似たような問題をご存じの読者もおられるだろう。その通り。どんな質問に対してもバカ正直に答える正直者と虚偽しか答えない嘘つきだけが出てくるタイプのパズルと，今回の一連の問題は同工異曲のものである。ただし，嘘つきはいなくて，みな正直だが言葉が違うというわけだ。

　さて，道を尋ねる最初の問題だが，目的を達するにはいろいろな形の質問が考えられよう。しかし，おそらく一番簡単な質問は，例えば右の道をさして「こっちの道は港に通じているかと尋ねられたとき，あなたは『ピン』と答えますか？」というような形のものであろう。

　右の道が正しく港に通じているとしよう。道を尋ねた相手がピン族なら，もちろんこの質問に対する答えはピンだ。しかし，そうでなくポン族だったとしたら「右の道は港に通じているか」という質問への答えはポンであるから，「ピンと答えるか」という質問への答えは「いいえ」の意味のピンになる。従って，道を尋ねた相手がいずれの種族であっても，右が港への道であれば，答えはピンとなる。

　反対に左が港への道であるとしよう。「右の道は港に通じているか」という問いに対するピン族の答えはポンだから，「ピンと答えるか」と問われればそれに対する答えはポンである。一方，「右の道は港に通じているか」という問いに対するポン族の答えはピンだから，「ピンと答えるか」と問われれば答えはポンである。よって，どちらの種族も答えはポンになる。

　こうして，アリスには，尋ねた相手がどちらの種族でも，先の質問への答えがピンなら右の道が，ポンなら左の道が港に通じていることがわかる。

　次の一連の問題は，「右隣の人がピン族か」という質問に対するピンやポンという答えが実際は何を意味するかを冷静に分析すれば，ほとんど一網打尽に解答が得られる。

　尋ねられた人がピン族としよう。その右隣もピン族だったなら，この質問

に対する答えはもちろんピンだ。右隣がポン族だったなら，答えはポンだ。反対に尋ねられた人がポン族の場合，右隣がポン族なら質問に対する答えはピンで，右隣がピン族なら質問に対する答えはポンだ。

　整理すると，結局，尋ねられた人と右隣の人が同種族なら答えはピンとなり，異種族ならば答えはポンとなることがわかる。つまり，ポンという答えは左の人から右の人へ移るときに種族が変わることを意味し，ピンという答えは種族が同じことを意味する。

　さて，質問が一周するとどういうことになるだろうか？　最初の人がどちらの種族であろうと，ぐるっと一周した結果，ポンという答えの回数が奇数回ということはありえない。なぜなら，ポンは種族が変わることを意味するのだから，それが奇数回だと，最初の人がピン族だとしてもポン族だとしても，一周して戻ってきたときにそれが入れ替わってしまい矛盾するからだ。

　ということで，チェシャ猫は「右隣の人がピン族か」という質問に対するポンという答えの回数は偶数回になることをあらかじめ知っていて，それゆえ，それまでのポンという回答数から「最後の人の答えは聞かなくてもわかる」と言ったのだ。

　次に，チェシャ猫の「何人がピン族で何人がポン族かわかった」という言葉から，どういうことがわかるかを考えてみよう。実は，こういうことがわかることは，普通の状況ではありえない。なぜなら「右隣の人がピン族か」という質問に対する答えからは，当人と右隣の人が異種族か同種族かという情報以外は何も得られないからだ。今，仮にピン族とポン族から16人を選びでたらめに並べて，「右隣の人がピン族か」という質問をしたとする。次にこの全員を，ピン族はポン族に，ポン族はピン族にスイッチしてやはり同じ質問をしたとすると，全員の答えはまったく変わらない。にもかかわらず，答えからピン族とポン族の人数がそれぞれわかったということは，こういうスイッチを行っても人数は変わらないこと，すなわちピン族とポン族は同数の8人ずつだったことを意味する。

また，最初の人の種族をAとし，もう一方の種族をBとすると，ポンのところで種族が変わるのだから，最初の12人の答えが『ピン - ピン - ピン - ポン - ピン - ピン - ポン - ピン - ピン - ピン - ポン - ピン』だったことから，最初の13人の種族はA-A-A-A-B-B-B-A-A-A-A-B-Bだったことがわかる。Aは既に8人いるので，残り3人は全員Bでなければならず，もちろん，この後には種族が変わることはない。よって，残りの3人の答えはすべてピンだったということになる。

　当然のようだが，鏡の国で頭脳スポーツとして最も人気が高いのはチェスである。その人気にあやかって，チェス王室主催でチェス大会を開いてみたらどうかという提案が王室内からあがり，開催の機運が高まった。鏡の国はもちろん，近隣の国々にも声をかけ，それぞれの地域から代表選手を派遣してもらう計画だ。

　もちろん，チェス王室からも代表選手を出す。そこで，大会運営の準備と

練習を兼ね，王室内全員のトーナメント試合によって代表を選考することになった。赤の王室でも白の王室でも，みなが「我こそはぜひ代表に」と意気込んで，寸暇を惜しんで猛練習だ。

例外はないので，赤の王様も白の王様も一候補選手としてトーナメントに参加するが，2人とも大変な負けず嫌いである。練習で臣下に負けるのは悔しいし，手のうちを知られたくないということで，2人だけで密室にこもってこっそり実戦練習を行った。

結果は，赤の王様の勝率がわずかに上回ったが，白の王様が悔しがることこの上ない。「今回の練習では，朕がいまひとつ不調でありましたが，トーナメントの本番で赤の陛下と当たりましたら，きっと雪辱を果たしますぞ」と白の王様。それに対して「いやいや，この結果は実力通りです。もし本番で白の陛下に当たりましたら，それこそ返り討ちにして進ぜましょう」と赤の王様も強気の発言だ。

ところで，王侯といえどもトーナメント表に配置するうえでいかなる配慮も受けられないので，この2人の直接対決があるかどうかは神のみぞ知るだ。2人の実力が他の選手を圧倒するようなら，直接対決が実現するだろうが，当たる前にどちらかが敗退するかもしれない。実は，トーナメントに参加する32人の実力は伯仲しており，各試合で誰が勝つかはまったくの五分五分である。

　さて，読者への最初の問題は，この状況で赤の王様と白の王様の直接対決が起こる確率を求めてもらうことだ。また，その直接対決が決勝で行われる確率はいくつになるだろうか？　32人の選手のトーナメント表はまったく平等で，試合数にバラツキはない（いわゆるシードはない）ものとする。また，チェスの試合では引き分けなどの規定があるが，引き分けの場合はどの対戦も決着がつくまで再試合を行うものとする。

　次の問題は，トーナメント表が不均衡な場合を考えてもらうことだ。実は，先ほど求めていただいた2つの確率は，トーナメント表がどんなに不均衡に作られていてもそれに関係なく同じである。それを証明していただきたい。ただし，例えば王様たちは対戦数が少ないなどというような"えこひいき"はなく，各選手がトーナメント表にどう配置されるかはまったくランダムに決まるものとする。

第145話の解答

　最初の2つの問題は，トーナメントに参加する人数が少ない場合から順次進めていくのが考えやすいかもしれない。2人が決勝で直接対決する確率のほうが計算しやすそうなので，そちらから考えよう。

　参加者が2人だけのトーナメントでは，もちろんいきなり2人が決勝で対戦することになる。

　4人のトーナメントではどうだろうか？　この場合，参加者が2人ずつのグループに分けられて，それぞれで戦った後，その勝者どうしが決勝を争うことになる。王様どうしが決勝でぶつかるためには，まず2人が別々のグループに属することが必要だ。トーナメント表の4つの場所から2つを選ぶ方法は全部で $_4\mathrm{C}_2 = 6$ 通りあるのに対し，2つの場所を別々のグループから選ぶ方法は $2 \times 2 = 4$ 通りだから，2人の王様が別々のグループに属する確率は $4/6 = 2/3$ だ。しかも，王様が2人とも1試合目で勝利しなければならないから，結局，決勝で王様どうしの直接対決が行われる確率は $2/3 \times 1/2 \times 1/2 = 1/6$ である。

　$8 = 2^3$ 人，$16 = 2^4$ 人，$32 = 2^5$ 人，さらには一般に 2^n 人によるトーナメントの場合も同様に考えることができる。2^n 人の選手を 2^{n-1} 人ずつ2つのグループに分けたとき，2人の王様が別々のグループに属する確率は

$$\frac{2^{n-1} \times 2^{n-1}}{_{2^n}\mathrm{C}_2} = \frac{2^{n-1}}{2^n - 1}$$

である。また，2つのグループそれぞれのトーナメントで王様が勝利する確率はどちらも $1/2^{n-1}$ であるから，決勝で王様どうしの直接対決が行われる確率は

$$\frac{2^{n-1}}{2^n - 1} \times \frac{1}{2^{n-1}} \times \frac{1}{2^{n-1}} = \frac{1}{(2^n - 1) \, 2^{n-1}}$$

である。特に$n=5$，すなわち$2^5=32$人によるトーナメントの場合は$1/496$だ。

　では決勝を含めて，どこかで王様どうしの直接対決が起こる可能性はどのくらいあるだろうか？　2人だけのトーナメントなら，もちろん確実に起こる。4人のトーナメントでは，2人が同じグループになれば確実に起こる。その確率は$1-2/3=1/3$である。よって，決勝で対決する場合を加えて，確率$1/3+1/6=1/2$で直接対決が起こる。同様に8人のトーナメントなら，2人が同一グループに入る確率は$1-4/7=3/7$であり，その場合に直接対決がある確率は，先ほど計算した$1/2$だから，$3/7 \times 1/2$に決勝で対戦する確率$1/28$を加えて，$1/4$である。

　ここまでくると，2^n人のトーナメントの場合に王様どうしの直接対決が起こる確率は$1/2^{n-1}$だろうと見当がつく。従って，あとはnに関する帰納法で，2^n人のトーナメントの場合に2人が同一グループに入って決勝前に直接対戦する確率は$(2^{n-1}-1)/(2^n-1) \times 1/2^{n-2}$だから，これに決勝で対戦する確率$1/\{(2^n-1)2^{n-1}\}$を加えて，確かに$1/2^{n-1}$だと証明される。

　以上，いささか面倒な計算を行ってきたが，ある種の直観を使えばこれらの結論はずっと簡単に得られる。その直観とは，決勝も含めどの試合も2人の選手の間の対戦の1つにすぎないということだ。m人からなるトーナメントでは，可能な対戦相手の組み合わせは${}_mC_2=m(m-1)/2$通りある。だから，決勝がその組み合わせの特定の1つになる確率は，どれも$2/\{m(m-1)\}$と考えるのは自然だ。また，m人のトーナメントでは，トーナメント表がどう組まれていようと，優勝者が決まるまでに全部で$m-1$回の試合が行われる。だから，特定の組み合わせがその中に含まれる確率は$(m-1)/{}_mC_2=2/m$になると考えるのも自然だろう。実は上の計算は，$m=2^n$でトーナメント表が均衡な場合に，この直観を確かめたにすぎない。

　実際，実力が拮抗していて，各試合でどちらが勝者になるか五分五分の場合は，トーナメント表がどんなに不均衡になっていても，選手をえこひいきなしに配置するなら，上の直観が成立することを証明しよう。これが最後の

問題に対する答えにもなる。

　証明は数学的帰納法による。2人のトーナメントの場合，いきなり2人が決勝で直接対決することは明らかだ。m（$m > 2$）人のトーナメントを考えよう。帰納法の仮定として，$k < m$の場合，$2/\{k(k-1)\}$ の確率で2人が決勝で対決し，$2/k$の確率で（決勝とは限らないが）2人の直接対決が生じるものとしよう。トーナメント表は不均衡かもしれないので，m人が，a人のグループAとb人のグループBに分割され，それぞれの勝者どうしの対戦で優勝者を決定するものとする。

　このとき，王様が2人ともAグループに属する確率は ${}_a\mathrm{C}_2/{}_m\mathrm{C}_2 = a(a-1) \div m(m-1)$ であり，その場合に2人の直接対決がある確率は$2/a$であるが，これは決勝ではない。また，王様が2人ともBグループに属する確率は ${}_b\mathrm{C}_2/{}_m\mathrm{C}_2 = b(b-1)/\{m(m-1)\}$ であり，その場合に2人の直接対決がある確率は$2/b$であるが，これも決勝ではない。一方，2人が別々のグループに属する確率は $ab/{}_m\mathrm{C}_2 = 2ab/\{m(m-1)\}$ だが，2人が直接対決するためにはそれぞれのグループの中で2人ともが勝者にならなければならないので，それが起こる確率は$1/a \times 1/b = 1/ab$である。これはもちろん決勝での対決だ。よって，$a+b=m$に注意して整理すると2人が決勝でぶつかる確率は

$$\frac{2ab}{m(m-1)} \times \frac{1}{ab} = \frac{2}{m(m-1)}$$

であり，決勝とは限らないがどこかで直接対決がある可能性は，さらに上の2つの場合の確率の合計

$$\frac{a(a-1)}{m(m-1)} \times \frac{2}{a} + \frac{b(b-1)}{m(m-1)} \times \frac{2}{b} = \frac{2(a-1)+2(b-1)}{m(m-1)} = \frac{2m-4}{m(m-1)}$$

を加えて，確かに

$$\frac{2}{m(m-1)} + \frac{2m-4}{m(m-1)} = \frac{2}{m}$$

である。どちらもグループＡとＢに振り分ける人数によらない。

第**146**話 サミットでの席順

　不思議の国の周辺には鏡の国を含め奇妙な国が複数ある。それらの国々の相互関係は，地球の国々と異なり，これといった国境紛争や民族対立などもなく平和で友好的であるのだが，普段はあまり交流のない国どうしも少なくない。そこで，経済活動など互いにもっと協力関係を強めたほうがよいという世論に押され，各国の王侯や首脳を集めて総勢40人のサミット（主要国首脳会議）を開催しようという話になった。

　栄誉ある第1回サミットのホスト国には，何と不思議の国が選ばれ，さらにハート，スペード，ダイヤ，クラブの各王室の間でくじ引きを行った結果，議長の座をハートの女王が射止めた。

　さて，サミットの初日，得意満面のハートの女王は，参加者全員が着席したところを見計らってゆっくり議長席に進み寄り，深々と腰を沈めた。それから，重々しく会場を見わたし，開会のあいさつをするために立ち上がろうとしたとき，思っていたのとは様子が違うことに気がついた。ハートの女王は参加者全員の席順を前もって決めていたのだが，参加者がまったく違う順に並んでいたのだ。

　参加者の座席は議長席の右隣りから左隣りまで，一列にぐるっとテーブルを巡っている。ハートの女王は雑用係のジョーカーに座席表と参加者全員の名札を渡し，座席表に従って名札をそれぞれの席に置いておくように指示したのだが，ジョーカーに問いただすと，参加者が会場入りするまで時間があったので，とりあえず名札を裏向きに置いたという。ところが，ジョーカーが他の雑用に追われているうちに参加者が次々に入ってきてしまい，議

185

長席以外の好きな席を選んで勝手に座ってしまったというわけだ。

　ジョーカーを罰するのは後にするにしても，こうなると，是が非でも自分の思うとおりにしなければ気がすまないのがハートの女王の性分だ。「座席順が予定どおりでないと議事を進めにくいので，名札を裏返して各自指定された座席に移動してもらえないか」と参加者に頼んでみた。

　ところが，参加者たちも，ハートの女王ほどではないにしても，わがままな点ではなかなかの強者である。「ふーむ，移動してもかまいませんが，いまの座席からいきなり遠くへ移るのは面倒でいやですな。隣りの人と席を交換するくらいならかまいませんがね。それに，いま自分が正しい席にいるの

なら，そこから離れるのは一瞬たりともごめんです」と言う。

　そこで，ハートの女王は隣り合う2人の座席交換を繰り返して，全員が正しい席に着いてもらう手順を見つけ出すようジョーカーに命じた。読者にもジョーカーを手伝ってそのような手順を見つけていただきたい。そんな手順が存在するだろうか？

　考えるうえで障害になりそうなことは，どの参加者もいったん正しい席に着いたらそれ以後は決して動くことに同意しないということだ。幸か不幸か，議長席のハートの女王を除き，最初から正しい席に着いていた参加者はいなかったものとする。

第146話の解答

　これは情報処理用語でいえば，ソーティング（日本語では「整列」「並び替え」「分類」などと呼ばれることが多い）の問題だ。

　隣どうしの交換を自由に繰り返すことで，どんな並び替えもできることはほとんど明らかであろう。実際，ソーティング手法の教科書を見るとこの種のアルゴリズムには「バブルソート」という名がついていて，そのことをご存じの読者も多いと思う。これは，隣り合ったどの2人組でも，左右の関係が逆になっている組があればその2人の位置の入れ替えを繰り返すものである。そういう2人組がなくなるまで交換を繰り返せば，自動的にソーティングが完了する。

　それでうまくいくという証明も簡単で，隣どうしではない2人も含めて，左右の関係が逆転している2人組の総数に着目するとよい。これは組み合わせ論ではときおり出てくる数で，転倒数（あるいは反転数）と呼ばれることがある。上の交換操作を1回行うと転倒数はいつも1減少することに気がつけばおしまいだ。最初の段階における転倒数をNとすると，どの2人を入れ替えるかという手順にかかわらず，ちょうどN回の交換で転倒数は0になる。そうなったときは，左右の関係が逆になっている2人組は1つもなくなっているから，全員が正しい席に着いていることになる。

　このようなアルゴリズムは，ソーティングに要する平均手間数が人数nの2乗に比例するから，クイックソートやヒープソートなど，手間の平均が$n\log n$のソーティング方法に比べ効率がよくないとされるが，手続きは非常に単純であり，並列処理との親和性も高いことから，実際によく用いられている方法だ。

　さて今回の問題は，このバブルソートに，ある障害条件が加わった場合に，その障害をどう回避するかというものだ。その障害条件とは「一度正しい席に着いた人を二度と動かしてはならない」というものである。実際，この条

188

件があると，隣どうしの交換だけではソーティングがうまくいかないことがある。例えば，ある人が自分の正しい席（j番とする）に着いているとし，その右にいる人の中にj番よりも左に本来の席がある人がいるとしよう。その人を隣どうしの交換だけで正しい席まで移動させることは，j番の人を動かさずには決してできないことはほとんど自明であろう。

　しかし，幸いなことに，問題には初期状態で正しい席に着いているのはハートの女王以外にはいないという条件が加わっている。このような列を乱列と呼ぶことは第135話「ポーンたちのプレゼント交換」の解答の中で述べ，n人の乱列が何通りあるとか，それが生じる確率などを検討した。今回の問題は，それとは直接の関係はないのだが，乱列の場合に障害条件があっても隣どうしの交換だけでソーティングが可能かどうかを問うものになっている。以下でそれが可能であることを証明し，その手順も示そう。

　サミットの参加者は40人だから，女王の右隣の席を1番とし，ぐるりとテーブルを右へ巡って，女王の左隣の席を39番としよう。またi番の席に座るべき人を「i番の人」と呼ぶことにする。これから与える手続きは帰納的に進め，大きい番号の人から順に正しい席に着けていくものだ。今，1番からn番までの席にはどこも正しい人が座っていないとし，$n+1$番から39番までの席には正しくその番号の人が座っているものとしよう。隣どうしの座席交換だけで，この正しい席をさらに左にのばして増やせることを示せばよい。

　具体的には，n番の人を座席交換でどんどん右に送り，n番の席まで連れてくればよい。基本的にはそれだけのことだが，1つ注意することがある。それは，このようにしてn番の人がi番の席までやって来たとき，その右の$i+1$番の席にi番の人がいた場合である。このまま単純に座席交換を続けるとi番の席にi番の人が座ってしまい，それが障害となって，その後のソーティング手続きに支障をきたす恐れがある。そこで，その場合には，前もってさらに右にどういう人がいるかを調べる必要がある。もし，さらに右の

189

$i+2$番の席に$i+1$番の人，さらにその右の$i+3$番の席に$i+2$番の人という ふうにずっと続いて乱列の最後のn番の席に$n-1$番の人がいるようなら 話は簡単だ。このままn番の人とその右隣の人との座席交換をどんどん進め ればよい。n番の人が正しい席に着いたときには，同時にi番とそれより右 のすべての席に正しい人が座っている。

　面倒なのは，途中でこのパターンが崩れる場合だ。$i+1$番から$k+1$番 までの席には1つずつ番号の少ないi番からk番までの人が座っているが， $k+2$番の席にはm（$\neq k+1$）番の人が座っていたとしよう。この場合，ま ずm番の人とその左隣の人の座席交換を繰り返して，m，n，i，$i+1$，…， $k-1$，kという並びに変える。その後，今度はn番の人とその右隣の人の 座席交換を繰り返すと，m，i，$i+1$，…，$k-1$，k，nという並びになるが， 読者はこれらの座席交換が障害条件に抵触することなく無事に行えること， およびそのあとでもこの部分列が乱列のままであることを確認されたい。 こうしてn番の人をさらに右に送り込むことができたので，あとはn番の 人の右送りをさらに繰り返して，最終的にn番の席まで連れてくることがで きる。

　興味を持った読者には，さらにもう1つ問題を提供するので，考えてみら れたい。通常のバブルソートの説明の際に述べたように，隣どうしの交換は 転倒数を1しか下げられない。従って，隣どうしの交換だけでソーティング を行うには，最低でも転倒数回の交換が必要である。逆に，条件のないバブ ルソートでは，ちょうど転倒数回の交換で整列を完了する手順が存在する。 最低でも転倒数回の交換が必要であるという事情は，一度正しい席に着いた 人を二度と動かしてはならないという条件がついた場合も同じだが，この条 件によって手間が増えることがあるかどうかを考えていただきたい。

　最初が乱列である場合には，必ず転倒数回の交換で整列を完了すること が できるだろうか。筆者が少し考えた限りでは人数が少ないときは必ずできる ようだ。いつでも可能なら，どういう手順でそれが達成できるだろうか？

もしできない場合があるなら，それはどういう状況であり，上の条件のせい
で増える手間は何回くらいだろうか。

坂井 公（さかい・こう）
数学者。1953年北海道生まれ。東京工業大学理工学研究科修士課程修了。
筑波大学アソシエイト。神奈川大学非常勤講師。理学博士。2019年3月
まで筑波大学大学院数理物質科学研究科准教授。学生時代よりマーチン・
ガードナーの「数学ゲーム」のファンで，その後1984年から7年間にわ
たり日経サイエンスに連載された A. K. デュードニー「コンピューター
レクリエーション」の翻訳を隔月で担当した。日経サイエンス2009年
5月号より「パズルの国のアリス」を連載中。訳書に『ロジカルな思考
を育てる数学問題集（上・下）』（ドリチェンコ著，岩波書店，2014），『偏
愛的数学 驚異の数』『偏愛的数学 魅惑の図形』（ポザマンティエ，レー
マン著，岩波書店，2011）など。

斉藤重之（さいとう・しげゆき）
イラストレーター，デザイナー。1969年北海道生まれ。筑波大学情報学
類を卒業後，デザイン事務所勤務を経て，1999年よりフリーランス。

デザイン　八十島博明，岸田信彦（GRID）

数学でピザを切り分ける！
パズルの国のアリス4

2021年12月25日　1版1刷

著　者　　坂井 公
　　　　　© Ko Sakai, 2021
発行者　　鹿児島昌樹
発行所　　株式会社 日経サイエンス
　　　　　https://www.nikkei-science.com/
発　売　　日経BPマーケティング
　　　　　〒105-8308　東京都港区虎ノ門4-3-12
印刷・製本　　株式会社 シナノ パブリッシング プレス

ISBN978-4-532-52082-3

Printed in Japan